MEMÓRIAS
de
SANGUE

SINDICATO NACIONAL DOS EDITORES DE LIVROS, RJ

J22v

Jaf, Ivan, 1957-

Um vampiro apaixonado na corte de D. João / Ivan Jaf ; Marcelo Campos (ilustr.). - 1. ed. – São Paulo : Ática, 2009.

152 p. : il.-(Memórias de Sangue)

Contém suplemento de leitura

Inclui apêndice

ISBN 978-85-08-11444-3

1. Literatura infantojuvenil. 2. Histórias de terror. 3. Vampiros. 4. Brasil - História - Século XVI a XVIII. I. Campos, Marcelo. II. Título. III. Série.

07-4217. CDD-028.5

CDU-087.5

ISBN 978 85 08 11444-3 (aluno)

ISBN 978 85 08 11445-0 (professor)

2025

OP 286559

1ª edição

9ª impressão

Impressão e acabamento:

Log&Print Gráfica, Dados Variáveis e Logística S.A.



Av. Otaviano Alves de Lima, 4400 – CEP 02909-900 – São Paulo, SP

Atendimento ao cliente: 4003-3061 – atendimento@atica.com.br

www.atica.com.br

Ilustrações
Marcelo Campos

Ivan Jaf

# Um vampiro apaixonado na corte de D. João

editora ática

# Sumário

Capítulo 1

# Um príncipe no mato, sem cachorro

De 1640 a 1807, dos seis reis dos Bragança que governaram Portugal, dois acabaram loucos de hospício: D. Afonso VI e D. Maria I. Diziam que o sangue dos Bragança era ruim. Clemente, meu pai-vampiro, aquele que me transformou em vampiro durante a Grande Peste de 1506 em Lisboa, como eu conto no meu livro *A insônia do vampiro*, quis experimentar que gosto tinha o sangue real, e cismou de morder o pescoço de D. Maria I.

Numa noite de outubro de 1807, disfarçado em névoa avermelhada, ele penetrou no Palácio de Queluz disposto a tomar um "drinque", que é como chamamos um pequeno gole de sangue tirado da jugular de alguém adormecido.

Flutuou pela antessala dos aposentos reais e se materializou no quarto da rainha. Levou um susto! Um outro vampiro já estava debruçado sobre o corpo de D. Maria I! Dois olhos vermelhos como brasas o encararam, e da boca lambuzada de sangue partiu uma blasfêmia em inglês!

Um vampiro britânico estava chupando o sangue real dos Bragança!

O outro vampiro partiu como uma flecha, com as mãos estendidas para a frente, na direção da garganta de Clemente.

Ainda mais rápido, este o agarrou pelos braços e girou-o duas vezes no ar, antes de atirá-lo com toda a força contra a parede. O choque seria suficiente para transformar um humano normal numa pasta, mas o outro quicou na parede, voou até

A linhagem dos Bragança governou Portugal de 1640 até 1910, e o Brasil até 1889. Ascenderam ao trono com D. João IV, quando uma revolta de nobres e intelectuais pôs fim à União Ibérica (1580-1640), ou seja, ao período em que os Habsburgo – uma das famílias mais poderosas da Europa – dominaram Portugal e também a Espanha. Os sucessores de D. João IV, até o período em que se passa esta história, foram D. Afonso VI (1656-1675), D. Pedro II (1675-1706), D. João V (1706-1750), D. José I (1750-1777), D. Maria I (1777-1816). D. João assumiu a regência em 1799.

Em *A insônia do vampiro*, outro volume desta coleção, o vampiro-narrador, sem conseguir dormir, procura a ajuda de uma psicanalista--vampiro. Durante a análise, o paciente relembra sua "morte--vida", principalmente do século XVI ao XVIII, quando residia em Portugal: as movimentações políticas, o ambiente da época, o devastador terremoto de Lisboa e o surgimento do Iluminismo.

o lustre de cristal e, de lá, tornou a se lançar sobre Clemente, que dessa vez o esperava com um pequeno sabre sacado da cintura.

Para não se chocar diretamente contra a ponta afiada do sabre, o vampiro inglês deu uma cambalhota em pleno ar, para surpreender Clemente pelas costas, enganchando-se em seu pescoço com as pernas, agarrando sua cabeça com as mãos. Nesse movimento, sua capa preta passou por cima da cabeça dos dois, tapando a visão de Clemente, que sentiu as unhas afiadas rasgando sua testa. Ele então cambaleou, com os braços para a frente, sem enxergar, perdeu o equilíbrio e caiu sobre a cama da rainha.

D. Maria I acordou, viu aquela aparição medonha, dois vampiros enfurecidos brigando em cima dela, e começou a gritar! Gritar como uma louca!

Os dois se transformaram em névoa e fugiram pela fresta da janela. Bem a tempo. Atraídos pelos gritos, os guardas invadiram o quarto real.

Ninguém acreditou na rainha. Ela era católica demais. Via o demônio em tudo. Noites e noites acordada, gritando "Ai Jesus! Ai Jesus!", berrando que as chamas do inferno estavam invadindo o quarto. Aquele foi considerado mais um dos pesadelos após os quais ela acordava aos gritos, completamente histérica, dizendo ter visto satanás em sua cama.

Não à toa a chamavam D. Maria I, a Louca.

Meu pai-vampiro é uma figura imponente: alto, magro, com uma longa cabeleira branca e o rosto muito bem barbeado. Tinha 55 anos quando foi transformado em vampiro, no ano 1000. Sua aparência não mudaria, e teve muita sorte, pois recebeu o Grande Abraço antes de ir a um baile: entrou para a nossa quase eternidade escanhoado, de unhas feitas, cabelos longos, tratados e bem aparados, e de banho tomado, pele limpa...

O que fazia no século XI, Clemente continua fazendo até hoje: ir a festas, varar madrugadas em mesas de jogo,

Napoleão Bonaparte (1769-1821) foi um importante personagem histórico na política europeia e mundial, do final do século XVIII e início do XIX. Nasceu na Córsega, quando a ilha passou ao domínio da França. Fez rápida e bem-sucedida carreira militar no exército francês: aos 15 anos era cadete, aos 23, capitão, e logo general de brigada. O grande estrategista (de 1,60 m de altura!) tornou-se governante da França em 1799, coroou-se imperador em 1804 e liderou o exército que dominou praticamente toda a Europa, expandindo as ideias e a influência da França e sua Revolução.

A Inglaterra – o rico país insular onde ocorria a Revolução Industrial – não seria facilmente dominada. Para derrotá-la, Napoleão usaria uma estratégia diferente: o bloqueio dos portos da Europa para os produtos ingleses, o que provocaria a quebra dessa poderosa economia. Foi o chamado Bloqueio Continental. Em julho de 1807, um acordo com Alexandre I da Rússia garantiu a Napoleão o fechamento do extremo leste. Faltava, então, o fechamento do oeste, quer dizer, dos portos de Lisboa e do Porto, fosse por meio de acordo, fosse por meio de ocupação militar!

dançar, frequentar óperas e teatros, sempre cínico e de bom humor.

Ele se encontrava em Lisboa, naquele outubro já frio e chuvoso de 1807, para cair na farra. Sempre que a possibilidade de uma tragédia natural, uma peste ou uma guerra ameaçava abater muitos humanos, Clemente, assim como muitos vampiros e lobisomens, aparecia para chupar o sangue das vítimas à vontade, sem levantar suspeitas.

Lisboa estava às vésperas de uma grande tragédia. Ou seria arrasada pelos exércitos de Napoleão, ou destruída pelos canhões dos navios ingleses.

Desde 1799, quando, por um golpe de estado, aboliu a constituição republicana e concentrou todo o poder no cargo de primeiro cônsul, que ele mesmo ocupou, Napoleão Bonaparte começou a expandir seus domínios. Em 1805 arrasara os exércitos da Áustria. Em 1806 ocupara Berlim. No começo de 1807 entrou em Varsóvia. Pouco depois venceu as tropas russas, dominando a Europa Oriental. A cada sítio conquistado, formava ducados e reinos, colocando no comando seus marechais, ou mesmo familiares. No outono de 1807 seu império estava no auge, estendendo-se por quase toda a Europa.

A Grã-Bretanha, graças à sua superioridade naval, era a única que ainda resistia. Mas a situação dos ingleses estava se tornando precária. Em 1806, com o Decreto de Berlim, Napoleão estabeleceu um bloqueio geral, impedindo que os países europeus tivessem relações comerciais ou diplomáticas com as ilhas britânicas e suas colônias.

Vivia-se o apogeu da Revolução Industrial, e França e Inglaterra disputavam os mercados consumidores para escoar suas produções. Um bloqueio econômico seria a ruína dos ingleses. Para piorar, seu rei, Jorge III, também dava sinais de loucura.

Com toda a Europa obedecendo à França, inclusive a Espanha, desde 1795 aliada a Napoleão, a Grã-Bretanha só contava com os três países que se declaravam neutros: Suécia, Dinamarca e Portugal.

Desde que o rei Luís XVI, monarca absoluto, fora condenado à guilhotina diante de seu palácio, em 1793, na fase mais radical da Revolução Francesa (1789-1799), os monarcas europeus temiam que o poder exercido pela burguesia os transformasse em soberanos destronados condenados a perder não apenas a coroa, mas a cabeça!

A neutralidade portuguesa não era um ato de coragem. Por um lado, os portugueses pagavam quarenta mil libras esterlinas a Napoleão para que não fossem invadidos; por outro, devendo até os fios de cabelo, atados de pés e mãos a "acordos" comerciais, não podiam romper relações com os ingleses nem enfrentar a poderosa esquadra naval deles.

Portugal, encurralado por terra, sofria a pressão continental de Napoleão. Por mar, com portos estratégicos vitais para o comércio com o Atlântico, padecia a pressão marítima dos britânicos.

Após enlouquecer completa e oficialmente, em 1792, D. Maria I passara o poder a seu filho D. João, agora príncipe regente, que tentava enrolar ambos os lados o quanto pudesse.

Acostumados havia décadas a canalizar para si o ouro brasileiro, que afinal financiou sua Revolução Industrial, os ingleses não admitiam perder Portugal para a França de jeito nenhum.

Em agosto de 1807 Napoleão mandou um ultimato: ou Portugal se aliava à França até 1º de setembro, ou invadiria o país. Aliar-se à França significava cortar o comércio com os ingleses, expulsá-los do território português e confiscar todos os seus bens.

D. João ficou num mato sem cachorro.

Naquele mesmo agosto os britânicos deram um recado aos países neutros que aderissem a Napoleão: entraram no porto de Copenhague, capital da Dinamarca, apossaram-se de toda a frota, saquearam completamente a cidade e depois a bombardearam e incendiaram, matando mais de mil pessoas.

Até os postes da cidade sabiam que Lisboa seria a próxima.

Mas, se apoiassem a Inglaterra, também sabiam o que esperar: ocupação militar francesa e derrubada do trono português. Seria o fim da dinastia dos Bragança! E, o pior para D. João, o tormento de todo rei absolutista daqueles tempos: a guilhotina!

Jean-Andoche Junot (1771-1813) foi um ajudante de ordens de Napoleão Bonaparte. Sua relação com Portugal iniciou-se em 1804, quando foi representante diplomático francês em Lisboa. Voltou à cidade em 1805 e, depois de se encontrar com o príncipe regente, registrou no diário: "Meu Deus! Como é feio! Como é feia a princesa! Como são todos feios! Não há um só rosto gracioso entre eles, exceto o do príncipe herdeiro". Depois de liderar a invasão francesa a Portugal, acabou permanecendo como chefe do governo local e recebeu o título de duque de Abrantes. Almejou tornar-se rei, mas uma revolta e as forças inglesas forçaram-no a assinar a rendição.

O que D. João tratou de fazer foi literalmente tentar "salvar o pescoço", conseguindo que seus diplomatas adiassem o ultimato de Napoleão para fins de setembro.

O que mais alarmou o povo foi o exército português não tomar nenhuma posição defensiva. O único movimento que se via, e mesmo assim à noite, ocorria junto às docas de Belém, na zona portuária, com muita gente graúda circulando por lá, intensa movimentação de carruagens reais e grande pressa nos trabalhos de reparo da frota.

O povo não sabia dos planos de fuga da corte. Mas começava a desconfiar.

Ainda mais quando a notícia se espalhou: Napoleão afinal ordenara a invasão de Portugal! O general Junot partira em direção a Lisboa com 20 mil soldados!

Os portugueses se prepararam para a guerra. Os homens mandavam suas mulheres e filhas para o interior, para evitar que fossem estupradas pelos soldados invasores. Os comerciantes levantavam barricadas contra os saques. Ladrões aproveitavam o tumulto. Corriam boatos de todos os lados! E rezas e novenas! A guerra era inevitável.

Vampiros chegavam a Lisboa, como urubus à espreita de carniça.

Meu pai-vampiro vivia na cidade do Porto, como chefe da congregação local. Nós, vampiros, nos organizamos em congregações e, de tempos em tempos, escolhemos chefes para presidi-las. É uma forma de nos organizarmos um pouco, e resolvermos nossas diferenças. É um costume milenar. Toda cidade tem uma. E isso é assim até hoje.

Clemente era um dos que estavam por Lisboa, naquele final de ano movimentado. Não ia perder a oportunidade de se fartar de sangue humano. Das duas uma: ou haveria bombardeio por mar, ou invasão por terra.

2

Capítulo

# "O sistema atual deste governo é não ter sistema algum, e ir vivendo"

(J. B. F. Carrère)

Depois do encontro com o vampiro inglês no quarto da rainha foi que Clemente reparou na quantidade de vampiros estrangeiros misturados ao povo, sentados nas escadarias aos grupos, encostados nos muros, debruçados em varandas, tranquilamente, como veranistas num balneário de sangue. Algo além da carnificina iminente os estava atraindo a Lisboa. Achou melhor perguntar aos lobisomens.

Os portugueses tinham o costume de erguer uma cruz nas encruzilhadas das estradas, para afastar lobisomens, mas não sabiam que estes não temiam os símbolos católicos, e que, só de pirraça, usavam as cruzes como locais de reunião. Meu pai conhecia um, particularmente peludo e agressivo, de nome Manuel Rodrigues, tido como um "jornalista" da época, que fazia ponto numa encruzilhada na estrada para a cidade do Porto. Cada cemitério era uma espécie de agência de notícias para ele. Sabia de tudo o que se passava no reino das trevas.

Manuel Rodrigues contou-lhe o que precisava saber.

– Os vampiros franceses estão dominando toda a Europa, não sabias? – Manuel Rodrigues agarrou o braço de Clemente, com sua pata suja de sangue coagulado e terra de cemitério.

– Seguem os passos de Napoleão, substituindo os chefes das congregações locais por aliados.

– Um bloqueio continental de sangue contra os vampiros ingleses? – meu pai riu.

– Quem sabe? O certo é que já estão em Lisboa.

– Quem?

– O próprio chefe da Congregação de Paris!

– Du Fleur?

– Conheces?

– Estive com ele em 1560, na coroação do rei Charles IX. Du Fleur foi procurador-geral. Os dois praticavam necromancia no Louvre. E chupavam o sangue de crianças.

Manuel lambeu os beiços:

– E não é só ele! – completou. – O chefe de Madri, Iglésias, também está aqui.

– Bertoldo Iglésias?

– Esse mesmo.

– Assistimos a muitas touradas juntos, no século XVII, no reinado de Filipe IV. Iglésias promovia touradas à noite, só para os vampiros. O toureiro era vampiro também. Acabava com o touro a dentadas. Depois chupava o bicho. Bons tempos...

– Estás a me dar sede.

Manuel Rodrigues devia estar enganado. Clemente voltou a Lisboa com a intenção de procurar Du Fleur e Iglésias. Eram velhos conhecidos seus, respeitavam-se. Não ousariam provocar uma guerra. Precisava encontrá-los. Onde estariam?

Du Fleur era um vampiro refinado, amante de ópera. Iglésias era mais popular, talvez àquela hora estivesse em algum teatro do Salitre, ou do Bairro Alto.

Du Fleur era mais importante. Melhor tentar a Ópera da rua dos Condes.

Chegou justamente na saída. Espantou-se com a quantidade de frequentadores de ópera, com a cidade às vésperas de uma guerra. Voou até o beiral de um sobrado e observou.

Os humanos eram estranhos. Os *franceses* estavam invadindo Portugal; os *franceses* vinham destituindo as monarquias e propagando a república; eram considerados demônios; os filósofos iluministas vinham sendo excomungados; os livros *franceses* eram proibidos; *franceses* republicanos presos; navios *franceses* apresados; espiões realistas portugueses espalhados pelo povo denunciavam agitadores republicanos *franceses*... Mas na saída de um teatro podia-se ver toda a elite vestida como... *franceses*!

A Revolução Francesa foi um processo iniciado na França, mas que se tornou tão importante para a Europa e até para a América que muitos historiadores consideram que o movimento deu início à contemporaneidade. Os ideais revolucionários franceses e as experiências políticas e sociais da burguesia influenciaram todo o Ocidente. Mas a França aristocrática continuou a exercer seu extraordinário fascínio sobre o povo: Paris era um centro revolucionário, mas continuava a ser o centro irradiador dos costumes e das modas.

Era a moda.

Fidalgos janotas entravam em suas seges usando espadim, casaquinha, camisa de Holanda, luvas de manopla, gravata e sapatos afivelados; as mulheres, cobertas com veludos e sedas, chapéus de plumas com presilha, cabelos esticados a ferro. Todos tentando encaixar palavras francesas a cada frase.

Lá estava Du Fleur!

A moda francesa do uso do pó de arroz no rosto facilitava a vida do vampiro. Todos tinham o rosto branco como cera. Du Fleur circulava tranquilamente entre os mortais, com um séquito de cinco vampiros risonhos e igualmente descorados.

A intuição de Clemente, porém, o fez decidir não se mostrar ainda.

Lembrou-se de Azevedo.

Azevedo era o atual chefe da Congregação de Lisboa, depois que o próprio Clemente havia expulsado a chefe anterior, Rosa Loba, por minha causa... como eu narro em meu livro *A insônia do vampiro*.

Personalidade apagada, de pouca iniciativa, Azevedo no entanto era muito bem-humorado, e havia alcançado o posto porque na época estava liderando uma campanha de paz entre bruxas e vampiros. A campanha não deu certo, claro, as bruxas são histéricas, como se vivessem em eterna menopausa, mas ele continuou na chefia, agora por um motivo ainda mais prosaico: era o sósia perfeito de D. João, balofo, indeciso, com ar ausente e um medo terrível do mar.

Clemente foi procurá-lo.

Azevedo era um vampiro-beato.

Não só os símbolos católicos não o destruíam, como, ao contrário, o fortaleciam espiritualmente. Os símbolos católicos só afetam um vampiro quando ele se considera "do mal", e acha que a Igreja é "do bem". Ser fulminado por uma cruz é, portanto, um problema de baixa autoestima.

Ele morava numa quinta ao norte de Lisboa, com uma escrava negra e uma "esposa". Ambas eram vampiras, e eles fingiam ser uma família normal. Criavam galinhas e porcos, não para comer, como supunham seus vizinhos, mas para chupar seu sangue.

Era uma casa de paredes de pedra e telhado de palha, sempre com um monte de estrume da altura de um homem a poucos metros da porta. Nos fundos havia uma estrebaria, com um cavalo muito magro, do qual certamente os três se serviam de um drinque de vez em quando. O cheiro do lado de fora era terrível, mas dentro da casa se podia suportar porque queimavam alfazema nos braseiros todo o tempo, para espantar os "maus espíritos".

Azevedo recebeu Clemente na sala, a sós. Sentaram-se em cadeiras forradas com couro de ovelha, enquanto o fogo crepitava em uma pequena e suja lareira.

Por todos os cantos se viam oratórios, nichos com santos e crucifixos. Uma enorme tela representando a santa ceia pendia da parede, atrás da mesa de carvalho.

Azevedo, todo de preto, branco como espuma de cerveja, segurava um terço e tinha um grande crucifixo pendurado no pescoço.

– O que está acontecendo aqui? – perguntou-lhe Clemente, procurando confirmar o que dissera o lobisomem Manuel Rodrigues. – Por que tantos estrangeiros?

– Talvez procurem o mesmo que tu – disse Azevedo. – A carnificina... o sangue... Dize, Clemente, preferes bombardeios ou combates homem a homem, a golpes de espada? Acho que espada é melhor, não destrói tanto os corpos...

– Concordo. Bombardeios mutilam, desperdiça-se muito sangue. Também derrubam as construções, e isso levanta muita poeira, suja o sangue todo.

– Então devemos torcer para que Junot chegue primeiro – Azevedo riu, e começou a cantarolar a "Marselhesa".

Até no sorriso ele se parecia com D. João. Suas bochechas balançavam como um buldogue, e a papada tremia como gelatina.

– Os ingleses já estão na costa – Clemente lembrou.

– De lá os canhões não nos alcançam. Têm de entrar no Tejo.

– Talvez não queiram nos bombardear, e sim sequestrar nossa corte.

– Boatos não faltam. E o movimento nas docas até os confirma. Mas eu não acredito que nosso príncipe nos abandone e fuja para o Brasil.

– A França fica com Portugal. A Inglaterra com o Brasil. É o que dizem por aí. Acho que é o que estão negociando na corte.

– Chegar ao ponto de nos abandonar a Napoleão, isso eu não concebo! Vamos reagir, Clemente! Vamos lutar! Tu verás!

– Com nosso exército? Mas os soldados são um bando de esfarrapados! Alistados à força! No meio da rua! De vinte em vinte! Nunca viste? Acorrentados uns aos outros! A maioria mendigos!

– Algum jeito a corte dará. Talvez os ingleses nos ajudem. Dizem que há sete mil homens na esquadra aqui ao largo! Eles podem desembarcar e...

– O que a Inglaterra quer é o Brasil, Azevedo. Ela precisa do mercado do ultramar. Leva a nossa corte para lá, coloca-a a salvo dos franceses, faz D. João de refém e é como se o Brasil fosse dela. "Recuperar no Novo Mundo os prejuízos sofridos no Velho", como disse Strangford, o emissário britânico.

– Mas a fuga da corte provocará uma revolução em Portugal!

– E vão se revoltar contra quem?

– Não. Não é possível... Não creio... – Azevedo balançava a cabeça. – Não vês que estamos a enfrentar os ingleses? Praticamente lhes declaramos guerra!

– Ora, Azevedo... Uma guerra simulada!

– Fechamos os portos a eles! Não soubeste do edital de 22 de outubro?

– Porém secretamente assinamos um tratado, dando-lhes o direito de ocupar a ilha da Madeira, e ainda oferecemos um porto no Brasil para negociarem seus produtos quase sem taxas!

Embaixador inglês, lorde Strangford (1780-1857) – como era chamado Percy Clinton Smith – foi transferido para Lisboa aos 22 anos. Defensor dos interesses britânicos, na época das guerras napoleônicas, lorde Strangford conseguiu convencer D. João a transferir-se com sua corte para o Brasil, e o acompanhou. Por não confiar em D. Carlota Joaquina, a princesa regente, procurou boicotá-la: pensava que ela atrapalharia os planos luso-ingleses em relação ao sul da colônia, à região platina, que poderia reivindicar como herança familiar dos Bourbon.

Em outubro de 1807, ingleses e portugueses reuniram-se secretamente em Londres e assinaram um tratado. Em meio à situação política e ao Bloqueio Continental, a Inglaterra preocupava-se com o proveito que Napoleão poderia tirar de Portugal, sua força naval e suas colônias. Por isso, o tratado decidiu que a Inglaterra daria proteção a Portugal e assim manteria as vantagens que possuía com seus aliados portugueses. Dentre outras cláusulas, o documento tratava da transferência temporária da sede da coroa portuguesa para a colônia, caso Portugal fosse invadido pelos franceses.

– Mas estamos a tratar de expulsá-los! E de confiscar seus bens! Como a França quer!

– Expulsando os ingleses? Confiscando seus bens? – Clemente riu. – Não vês que é uma farsa, para enganar Napoleão e ganhar tempo? Pedimos para que os ingleses finjam que estão sendo expulsos, e damos tempo para que resolvam seus negócios por aqui, sem prejuízo. Um decreto, assinado às pressas, agora permite que os comerciantes ingleses retirem todas as suas mercadorias da alfândega, sem pagar taxas nem despesas, para que não possam ser confiscadas pelos franceses. Não soubeste o que o visconde de Anadia declarou ao ministro inglês? "Somos obrigados a esse penoso procedimento... pela dura lei da necessidade... mas o que for confiscado lhes será restituído ocultamente... e deixaremos o porto de Lisboa aberto aos ingleses para que possam retirar-se com a aparência de fuga"...

– Pode ser! Pode ser! Estratégias! Quando chegar a hora, reagiremos! Nossa marinha de guerra...

– Marinha de guerra? Mas, se autorizamos a Inglaterra a capturar toda a nossa esquadra, para que ela não caísse nas mãos de Napoleão!

Azevedo não queria acreditar naquilo. Primeiro porque, apesar de vampiro, era profundamente orgulhoso do passado de glórias de Portugal e, além do mais, católico. Não podia conceber que sua divina rainha abandonasse o povo num momento tão difícil. Segundo porque, por ser tão parecido com D. João, duvidar da hombridade do príncipe regente era como duvidar da sua própria hombridade.

Sua reação às verdades de Clemente foi começar a rezar o terço.

– Não vim perturbá-lo – este voltou ao assunto. – Queria saber o que fazem todos esses vampiros ingleses, franceses e espanhóis aqui... além de esperar o derramamento de sangue que virá em breve.

Azevedo assumiu um ar grave, que não combinava com seu rosto:

– Na verdade... eles me procuraram.

– Foi?

– Há poucas noites... para marcar uma reunião de chefes de congregação. Querem discutir comigo a situação de Lisboa. Queres ir? Afinal, tu és o chefe do Porto, a segunda maior cidade de Portugal.

– E para quando está marcada?

– Na noite de 26 para 27 de novembro. Nas ruínas da antiga praça de touros do bairro da Estrela.

– Estarei lá!

# Capítulo 3

# "Todos andavam sem tino... Temendo que lhes faltasse tempo"

(Ângelo Pereira)

Ainda havia umas duas semanas até o dia 26. Clemente não procurou Du Fleur, nem Iglésias. Nem voltou a falar com Azevedo. Acompanhar a situação de Lisboa já o divertia o suficiente.

A posição de D. João era insustentável.

Como evitar a guerra com os franceses sem romper a aliança comercial com os ingleses? Como impedir o bombardeio da cidade sem ser invadido pelo exército de Napoleão? Como preservar a dinastia dos Bragança no meio disso tudo? Como agradar uns sem ofender os outros? Como não perder a cabeça?

D. João respondia a isso com uma indecisão patológica. Talvez venha dessa época a expressão "empurrar com a barriga".

Para piorar, os correios daquele tempo faziam uma carta levar dez dias, por terra, para perfazer o trajeto Paris-Lisboa. Entre Londres e Lisboa, por mar, no mínimo uma semana. Mandar uma mensagem para os franceses ou os ingleses, e receber a resposta, era coisa para quase um mês.

O que aconteceu naquele final de 1807 é que mensagens urgentes com ultimatos, tentativas de acordos e propostas indecentes eram despachadas; porém, antes de chegarem ao destino, dava-se algum fato novo que tornava inviável o conteúdo da mensagem... ao passo que àquela altura o destinatário já

Essa era uma época de tratados secretos e convenções. Em Fontainebleau, em outubro de 1807, ficou definido pelos representantes franceses e espanhóis que o território português seria dividido em três partes, e que os espanhóis permitiriam que as tropas francesas passassem por seu território para invadir Portugal, que não aderiu ao Bloqueio Continental. No mesmo período, logo após o tratado ter sido firmado, foi estabelecida uma convenção secreta entre França e Espanha que desenvolveu a estratégia da operação de invasão das terras portuguesas e a divisão do território de Portugal.

Lisboa tinha sido praticamente destruída em 1755 por um terremoto e um tsunami provocado por ele. As perdas foram terríveis: quase 20 mil mortos, vários incêndios, uma verdadeira devastação. Grandes construções, hospitais e arquivos desapareceram com seus ocupantes. O rei, D. José I, estava nas proximidades da cidade, mas ele e seu ministro, o Marquês de Pombal, nada sofreram. A reconstrução da cidade foi feita rapidamente, mas gerou um impacto político, econômico e social significativo na sociedade portuguesa do século XVIII.

estava respondendo... para dias depois saber, por nova carta, que sua resposta era impraticável... e então tinha de se contradizer...

Os correios foram culpados por muitas guerras no passado.

Não adiantou Portugal ter simulado o rompimento com a Inglaterra e se aliar à França. A notícia chegou tarde demais. Junot já estava a caminho para a invasão. E Napoleão também não tinha como avisá-lo a tempo!

Londres, confusa quanto às decisões de D. João, sabendo do avanço de Junot, ordenou que a sua esquadra entrasse no porto de Lisboa. No dia 16 de novembro o almirante Sidney Smith e sete mil homens se posicionaram para o bombardeio.

Com as tropas francesas já aquarteladas na fronteira com a Espanha, D. João ainda fez duas tentativas: enviou o marquês de Marialva pessoalmente a Paris para avisar que seu país se rendia mesmo, tentando subornar Napoleão com um lote de diamantes brasileiros; ao mesmo tempo que um rico comerciante foi até Junot, tentar persuadi-lo a esperar um pouco antes de invadir Portugal.

Junot na verdade estava tendo dificuldades em avançar porque chovia sem parar, a tropa dormia ao relento, só comia meia ração por dia e não tinha calçados, sendo obrigada a confiscar sapatos nas aldeias vizinhas.

D. João ainda não sabia, pela lentidão dos correios, que França e Espanha haviam assinado o tratado de Fontainebleau, dividindo o território português entre eles, e que o marquês de Marialva tinha sido detido em Madri.

Lisboa enlouquecia.

Uma parte do povo rezava; outra, armava-se.

Começou a faltar comida. Carne e trigo sumiram. Um edital proibiu a fabricação de biscoitos, bolos e docinhos. O trigo que havia era só para pão.

Clemente se escondia na galeria subterrânea de uma ermida, a vinte quilômetros do centro. Era uma catacumba pequena, revelada pelo terremoto de 1755, isolada

e segura. À noite, ele percorria as ruas escuras de Lisboa, ciente de estar sendo seguido.

Sentia vultos à espreita, atrás de muros, movimentos rápidos entre as sombras de pilastras, olhos vermelhos a segui-lo a partir dos telhados. Captava uma enorme carga de energia negativa no ar, como uma nuvem de trevas prestes a explodir.

A corte já não escondia que a movimentação no porto era a preparação para a fuga. Funcionários do Palácio percorriam as docas dando instruções abertamente; cortesãos encaixotavam documentos no cais; navios eram abastecidos com grandes tonéis para longas viagens.

O emissário britânico, Strangford, alugou um barco de pesca e foi se juntar à esquadra inglesa. Assim que se pôs a salvo, instalado a bordo da nau do almirante Sidney Smith, mandou uma carta a D. João prometendo toda a ajuda possível, desde que a corte partisse imediatamente para o Brasil.

Porém, além da pressão externa, D. João tinha seus problemas internos. A mãe maluca dava-lhe a permanente sensação de que ele também poderia enlouquecer de uma hora para outra. A esposa espanhola, D. Carlota Joaquina, era-lhe infiel na cama e na política, e dois anos antes tentara tomar para si a regência de Portugal, acusando o marido de estar doido como a sogra. Quase o conseguiu, obrigando D. João a desterrar fidalgos traidores.

Ele sofria também de pânico de mar, e ficou seriamente perturbado quando uma beata famosa previu que, se fosse para o Brasil, o navio afundaria.

No dia 24 de novembro veio a notícia: Junot entrara em Portugal, e já estava na cidade de Abrantes!

Em dois ou três dias as tropas chegariam a Lisboa!

Clemente resolveu saber o que de fato se passava na corte. Naquela mesma noite, 24 de novembro, dissolveu-se em névoa e penetrou por uma fresta do segundo pavimento do Palácio da Ajuda, erguido próximo ao cais. Vagou pelos corredores, junto ao teto alto, até encontrar a sala de reuniões do Conselho de Estado.

Um grupo de homens de peruca discutia acaloradamente a situação de Portugal. D. João estava entre eles.

Por sorte, presenciou o momento histórico em que o príncipe afinal decidiu e deu a ordem: que começasse a organização do embarque da família real para o Brasil!

Naquela mesma noite iniciaram o desmonte da corte.

Todos os registros dos ministérios foram embalados em 34 grandes caixotes.

O que de valor havia nos palácios reais de Mafra, Ajuda e Queluz foi colocado em centenas de carroças, que tomaram a direção do porto. Louças, pratarias, adornos de ouro e prata, quadros, tapeçarias... Caixas e caixas de arquivos do governo... Antiguidades, móveis, roupas... Tudo ia em direção às docas, provocando uma fila interminável de seges, carretas, carruagens, escravos arrastando imensas caixas...

Tudo era feito às pressas e em meio ao caos e à chuva fina que não parou de cair um só instante. Tinham de escapar antes que Junot chegasse. Fugir levando toda a família real, os conselheiros, os ministros de Estado, a nobreza, os funcionários públicos, os servidores dos palácios, as autoridades eclesiásticas... Recolher todos os seus bens, embalá-los, despachá-los em alguns dos navios da frota...

Era toda uma corte se mudando, levando repartições, tribunais, secretarias, arquivos, aparatos administrativos, paramentos para os rituais... 3 dias para enfiar em 17 navios todo o aparelho de Estado português montado durante sete séculos! Sem tempo para embarques secretos! Salve-se quem puder! O povo já sabia da fuga: ia ser abandonado aos invasores franceses! Cada qual que cuidasse de si!

Uma multidão de revoltosos começou a se formar no porto, surgindo de todas as partes da cidade. Xingavam a elite em fuga, cuspiam, apedrejavam. As autoridades abriam caminho com dificuldade, escoltadas pelos militares. Regimentos recusavam-se a obedecer, indignados, dispersando-se, abandonando armas.

A confusão piorou com a notícia de que Junot deixara para trás a artilharia pesada e o grosso da tropa, e chegaria a Lisboa com uma guarda avançada, mais cedo do que se previa!

O movimento se tornou ainda mais frenético. Quem não conseguia lugar a bordo da frota real tentava de todas as maneiras se fazer ao mar, alugando galeotas, procurando fretar navios, até pedindo carona aos ingleses.

No começo da noite do dia 26, Clemente saiu das catacumbas de sua ermida e foi para o encontro dos chefes de congregação. Antes, passou pelo Bairro Alto, entrou na bela mansão de um funcionário do Erário Público que, agitadíssimo, recolhia objetos para enfiar nos caixotes, e cravou-lhe os dentes no pescoço.

O sangue fresco umedeceu seu corpo, deu brilho a seus olhos. Mas nos primeiros jorros de sangue que lhe chegaram ao cérebro sentiu como aquele funcionário público estava apavorado, ansioso. Porque junto com o sangue sempre nos vêm imagens e pensamentos da vítima, e aquele homem só lhe passou medo, covardia... À medida que o sangue se esvaía de seu corpo ele relaxou, entregou-se ao destino... e Clemente bebeu até a última gota.

Revigorado, foi à reunião.

A antiga praça de touros, no bairro da Estrela, a leste do centro, era uma arena octogonal, ornada de estátuas, onde as clarissas de Sacavém organizavam touradas famosas no passado. O lugar fora destruído pelo terremoto de 1755. Agora era apenas um grande espaço abandonado, cercado de mato e muros em ruína.

Os outros já o aguardavam.

Portugal, como se sabe, era um país católico, cheio de igrejas e conventos. O terremoto provocou uma grande mudança na "geografia religiosa" de Lisboa: o Convento de Nossa Senhora da Conceição e dos Mártires de Sacavém, que servia para os ofícios religiosos das freiras clarissas, desapareceu. O terremoto de 1755 também destruiu a Igreja Matriz de Santa Maria, localizada no largo da Senhora da Saúde.

Uma reunião geral de chefes de congregação é sempre assustadora. Silêncio pesado, ausência de vida, cheiro de túmulos abertos. Os animais se afastam, cachorros apavorados correm uivando, cavalos presos escoiceiam enlouquecidos até serem soltos, ratos se escondem nos esgotos, corujas e morcegos se aquietam nos galhos.

De longe, vê-se uma luz fria envolvendo o grupo de vampiros. Uma luz que não vem do fogo, muito menos do sol, mas da fosforescência dos corpos brancos e duros, como o mármore das tumbas refletindo a lua cheia.

Clemente pousou suavemente entre eles.

Lá estavam Du Fleur e Iglésias. Todos de preto da cabeça aos pés, com a capa cerimonial, e longas perucas brancas encaracoladas, que recendiam a talco e flores de velório. Estáticos, impassíveis. Seus olhos eram como bolas de gude pretas, grudadas nos rostos encovados e brancos como gesso.

Em volta dos dois, duas dezenas de outros vampiros, franceses e espanhóis, também de preto, desconhecidos. Clemente estranhou a maneira como estavam agrupados.

A presença apalermada de Azevedo contrastava com a firmeza dos estrangeiros, e Clemente se perguntou por que não havia um só vampiro português entre a assistência. Pelo visto o chefe da Congregação de Lisboa não estava dando muita importância à reunião.

Azevedo estava mal-arrumado, com uma parte da imensa barriga, idêntica à de D. João, aparecendo entre a casaca branca e o calção justo verde. O cabelo em desalinho ainda trazia restos de farelo de milho, denunciando que chupara o sangue de uma galinha recentemente. O amor às galinhas, outra semelhança com seu príncipe regente... Triste figura de vampiro desleixado. Não demonstrava nenhuma autoridade.

Mas era ao chefe local que cabia abrir a sessão:

– Senhores – disse Azevedo –, todos sabem que meu maior desejo é passar o tempo honrada e descansadamente. Há muito perdi o hábito de mediar conflitos, já que por aqui eles não acontecem há tempos. Julgo que a melhor política entre os vampiros é não nos metermos uns com os outros, e cada um com sua linha se cosa. Sou um católico velho e rançoso, muito amigo de meus próprios interesses, e o meu interesse neste momento é que cheguemos a um acordo, e que ambas as partes tenham o direito de se defender e de acusar, se for o caso, pois nem sei bem ao certo por que estamos cá. E que sejamos breves, pois o que havemos de dar ao rato podemos dar logo ao gato, para adiantar o serviço. Portanto, dou a palavra primeiro a quem quiser pegá-la.

Enquanto Azevedo falava, Clemente pressentiu o perigo. Viu a tensão percorrer os corpos dos vinte vampiros estrangeiros. Eles estavam retesados, prontos para uma manobra... da qual não conseguia adivinhar o intento. Alguma coisa parecia anuviar seus pensamentos...

Du Fleur, em vez de falar, olhou-o e sorriu.

Clemente fixou o olhar no francês, e não percebeu o movimento do grupo.

Quando entendeu, já era tarde demais!

Os vinte haviam formado o pentagrama mágico.

Clemente e Azevedo haviam caído numa armadilha fatal.

Capítulo 4

# Guerra de vampiros

Uma das formas mais antigas de se tirar os poderes de um vampiro: dez vampiros, mestres em ciências ocultas, confiantes, bem alimentados e experientes, formam uma estrela de cinco pontas: cinco nos vértices internos das linhas imaginárias que formam a estrela, os outros cinco nas pontas. E mais dez criando um círculo em torno.

Assim dispostos, concentrando suas vontades, vinte vampiros podem paralisar completamente o vampiro que se encontra no centro. Sem conseguir usar nenhum de seus poderes, a vítima fica à mercê de seus algozes.

Reuniões vampíricas, estabelecidas por chefes de congregação, são rituais respeitados em todo o planeta. Fraudes e ciladas são raríssimas porque os que as cometem atraem a fúria de todos os outros chefes, espalhados pelas grandes cidades de todo o mundo. Os infratores são destituídos dos cargos de chefia, estigmatizados, e a pena quase sempre é a perseguição e a morte. No violento universo do vampirismo, as congregações, e suas reuniões e julgamentos são a única maneira de se evitar o caos.

Clemente tentou pular. Poderia alcançar um telhado próximo em segundos. Seus pés não obedeceram.

Quis se transformar em névoa. Não pôde.

Não conseguiu avançar contra seus inimigos. Nem desembainhar o sabre.

O pentagrama lhe tirara a capacidade de concentração.

Azevedo também se encontrava paralisado, olhando-o com aquela cara aparvalhada de sempre.

Os vinte vampiros permaneciam o tempo todo de olhos fechados, num tremendo esforço de concentração. Du Fleur e Iglésias, mais afastados, mantinham silêncio para não afetar o sortilégio. O pentagrama mágico funcionava a partir da concentração da vontade dos vampiros que o formavam.

Qualquer barulho poderia desviar a concentração dos vinte vampiros, por isso Iglésias se comunicou com ele telepaticamente.

E Clemente entendeu tudo.

A reunião era uma farsa.

O objetivo dos dois era exterminar os vampiros-chefes das cidades mais importantes e substituí-los por vampiros franceses e, no caso de Portugal, espanhóis. Manuel Rodrigues estava certo!

Em meio àquele silêncio aterrador, em que o tempo parecia ter parado e nem as folhas das árvores se mexiam, Iglésias desembainhou seu punhal de prata.

A lâmina brilhou. Tinha uns trinta centímetros. Suficiente para atravessar um coração.

Clemente não conseguia mexer os braços, nem falar. Até sua cabeça estava paralisada. Apenas os olhos se moviam e viam rostos de vampiros concentrados, peles vincadas e secas, como caveiras embrulhadas em papel branco.

Iglésias deu dois passos em direção a ele, o punhal na mão direita.

Clemente receberia a estocada sem poder reagir. O punhal perfuraria seu coração e ele estaria acabado, viraria pó.

Azevedo assistia, com o olhar idiota. Será que o imbecil não entendia que seria o próximo a ter o coração transpassado pelo punhal de Iglésias?

Clemente tentou uma manobra desesperada. Num esforço enorme de concentração, conseguiu passar a Iglésias uma mensagem telepática: "Se entrares dentro deste pentagrama, talvez fiques paralisado também... Será que não é isso que Du Fleur quer? Imaginas mesmo que vão dar Portugal aos espanhóis? Não percebes que esta é uma armadilha para ti também?".

Iglésias parou.

Clemente viu uma nuvem de dúvida cruzar o brilho diabólico daqueles dois olhos fixos sobre ele.

"Não sejas tolo, Iglésias. Temos um acordo. Mata-o", ele captou. Era Du Fleur.

Mas a suspeita se instalara na mente do espanhol.

"Confia em mim, Iglésias. Fura o coração desses dois miseráveis e acabemos com isso", era Du Fleur, com um tom sedutor e displicente, como se aquilo tudo já o estivesse cansando.

O espanhol deu mais um passo.

Mas parou novamente.

Ele havia bloqueado seus pensamentos. Os outros não conseguiam captá-los. Clemente também não, mas lia em seus olhos que Iglésias não se arriscaria a entrar no pentagrama.

Captou as intensas mensagens telepáticas do francês na tentativa de convencer o parceiro de que eram colaboradores valorosos numa grande causa comum, e que procurasse lembrar que Napoleão também colocava no comando de seus ducados e reinos chefes fiéis a seu império continental... e por aí afora.

Enquanto isso, Clemente repetia mentalmente para Iglésias, esperando que ele captasse, no meio de toda aquela algaravia telepática: "Por que tu?... Por que Du Fleur não entra no pentagrama para fazer o serviço sujo? Entrega o punhal a ele e vê...".

Azevedo olhou para o alto.

Algo se mexia lá em cima. Pontos negros cortavam o céu, cobrindo as estrelas, a velocidades espantosas, como um enxame de mosquitos.

Du Fleur e Iglésias não notaram nada.

Os outros vinte vampiros estavam todo o tempo de olhos fechados.

Tudo aconteceu de repente.

Uma horda de vampiros portugueses caiu sobre eles, de repente, como pingos negros de chuva.

Materializaram-se sobre o pentagrama, cortando o ar!

Dois dos vinte vampiros que compunham a estrela tiveram a cabeça cortada antes que alguém pudesse entender o que estava acontecendo!

O sortilégio foi rompido. O pentagrama mágico se desfez. Clemente sentiu o cérebro desanuviar, embora o corpo ainda estivesse paralisado.

Du Fleur e Iglésias eram fantasticamente poderosos. Em frações de segundo compreenderam a situação e se prepararam para a guerra.

Aquela batalha tornou-se lendária entre os vampiros.

Os vinte estrangeiros haviam sido selecionados entre os melhores. Mesmo com as duas baixas, ofereceram resistência aos mais de quarenta vampiros portugueses.

Du Fleur cortava o espaço a sua volta com a velocidade de um raio. Suas unhas enormes rasgavam rostos e gargantas. Iglésias sumia, para reaparecer em outro ponto, surpreendendo seu combatente por trás e fincando em suas costas seu punhal de prata.

Os vampiros portugueses eram mais lentos, despreparados.

Clemente conseguiu mexer os braços.

Um português baixinho lutava contra um vampiro imenso, como um mosquito infernizando a vida de um rinoceronte, até que conseguiu cravar-lhe seu pequeno sabre bem no alto da cabeça.

Mas os estrangeiros estavam ganhando a batalha!

Azevedo também saía da paralisia aos poucos. Ele e Clemente eram poupados pelo fato de os outros estarem muito ocupados atacando e se defendendo.

Então aconteceu um fato surpreendente!

Fazendo um enorme escarcéu, mais de cinquenta lobisomens surgiram de trás dos muros em ruínas e do matagal que cercava a praça de touros e investiram contra as tropas estrangeiras.

Lobisomens são mortais, simples mistura de lobos e homens. Não são páreo para vampiros e nunca se metem conosco. A situação era tão inusitada que uma confusão enorme se instalou.

Os lobisomens vinham armados com foices de prata, machados e archotes.

Clemente olhou para Azevedo, que lhe piscou um olho. Aquilo tudo havia sido planejado!

Os lobisomens acabaram com o silêncio vampírico! Armaram um tal barulho que a coisa agora parecia uma briga de rua no meio de uma feira livre! Cortavam membros e cabeças com as foices, incendiavam vampiros!

Clemente conseguiu finalmente mexer as pernas e os braços, e desembainhou seu sabre. Então viu o vulto de Iglésias avançar sobre ele. Esquivou-se, evitando que seu coração fosse trespassado, mas não pôde impedir que a punhalada o atingisse entre as costelas!

# "Não vá tão depressa, assim pensarão que estamos a fugir!"

(D. Maria I, a Louca)

Um pouco abaixo do coração!

Caiu de joelhos!

Sentiu duas mãos por baixo de seus ombros e, quando percebeu, estava vendo a praça de touros do alto, a confusa batalha que se travava lá embaixo, ouviu os gritos dos lobisomens sumirem na distância...

Era Azevedo que o transportava pelos ares, ao sabor do vento que corria em direção ao mar.

– Tu... sabias...

– Poupa o fôlego, Clemente. Estás a correr perigo de virar pó a qualquer instante.

– Planejaste tudo...

– O mais difícil foi ter de bancar o estúpido e covarde todo esse tempo, meu amigo. Fingir ser o mais manso e indeciso dos vampiros. Nisso, ser parecido com D. João ajudou-me.

– Enganaste até a mim...

– Tanto a mentira é melhor quanto mais parece verdadeira – Azevedo riu. – Tive de me fazer de parvo para que os franceses não cuidassem que eu representava perigo.

– Devias ter-me avisado... Eu estaria preparado...

– Havia tantos espiões por aqui. Não pude me abrir contigo. E tens fama de esperto, iam se prevenir melhor. Quanto

a mim, acharam que ia ser fácil... e pude agir! Convocar um grupo de vampiros fiéis...

– Até lobisomens – Clemente sorriu, mas a voz lhe saía fraca, e voltava a ficar tonto.

– Eles se ofereceram como voluntários.

– Vão ser mortos...

– Mas morrerão a defender sua pátria! Como o povo português faria contra os franceses e os ingleses, se o exemplo viesse de cima! Tu tinhas razão! A corte está a fugir para o Brasil!

– És muito superior a D. João...

– Pelo menos não sou covarde. De castigo, a mim já me basta ser confundido com aquele poltrão.

– Salvaste Portugal da invasão francesa...

– Não, Clemente. Eu só mostrei que não somos canalhas como os que nos governam. Mostrei que temos sangue nas veias, apesar de não ser nosso. Mas não sei como isso vai acabar. Sinceramente, acho que seremos dizimados, pois certamente outras hordas de vampiros espanhóis e franceses chegarão. Talvez até já estejam a caminho, como Junot... Preciso voltar à praça de touros!

– Talvez apareçam vampiros ingleses... para nos ajudar.

– Agora és tu quem está a ser ingênuo. Os ingleses querem só chupar o sangue português.

– A rainha que o diga...

– Tens de fugir de Portugal, Clemente! A punhalada não te matará, senão já o teria feito, mas ficarás fraco por muitas semanas, e vulnerável. Haverá dezenas de vampiros estrangeiros atrás de ti.

– Convoca meus vampiros... na cidade do Porto...

– Fiz isso no começo da noite. Os de Coimbra também. Devem estar a chegar. Lancei o comunicado a todos os cantos de Portugal assim que formaram o pentagrama. Se tivesse feito a convocação antes, os invasores a teriam captado.

Clemente sorriu:

– És esperto. E sabes até voar, sem ser névoa...

– Todo cachorro velho tem seus truques.

– Aonde me levas?

– Tua única chance de escapar dessa é sair de Portugal por uns tempos, até te recuperares.

Uma chuva grossa começou a cair sobre eles. Ouviu gritos novamente, e pensou que estivesse voltando para a praça de touros.

Pousaram suavemente na lama, atrás de uma pilha imensa de caixotes. Azevedo o colocou de pé, segurando-o pelos ombros.

– Estamos no cais... de Belém?

– É no que pude pensar, meu amigo – Azevedo sorriu.

– Para o... Brasil?

– Por que não? Não és afeiçoado à boa vida? Não gostas de bailes e da vida da corte? Vais junto com ela. Vamos, que o sol não demora a aparecer e eu ainda tenho uma guerra a combater!

Saíram caminhando, misturando-se à multidão. Clemente ia amparado, como se estivesse bêbado, mas ninguém reparava em ninguém. Reinava a mais completa desordem!

A notícia de que Junot estava a apenas dois dias de Lisboa acabara definitivamente com qualquer tentativa de organizar a fuga. Carruagens em fila, congestionando a entrada das docas por toda a extensão da rua da Junqueira, começaram a ser abandonadas por seus proprietários, que deixavam para trás os pertences e corriam à beira do cais, disputando a tapas uma vaga nos navios!

O regimento de Alcântara fazia a guarda de honra, formando uma barreira no Largo de Belém, abrindo passagem para os componentes da família real por entre a multidão, que estava a ponto de invadir o cais e não parava de xingar e atirar pedras.

Clemente e Azevedo se misturaram a um grupo de nobres e foram empurrados para dentro das docas, abrindo caminho através da lama. Azevedo foi confundido com D. João e levou uma pedrada na testa. Pôs as mãos à cabeça e comentou com Clemente:

– Foi uma pedrada merecida.

Havia pilhas e pilhas de caixas, móveis, malas, trouxas, baús... A chuva só aumentava. Os pequenos esquifes, batéis e galeotas que conduziam aos navios ancorados no Tejo iam abarrotados de fidalgos, muitos só com a roupa do corpo. Algumas senhoras, num desespero histérico, entraram na água para tentar alcançar uma embarcação e morreram afogadas.

Gritaria. Desespero. Choro e rezas, de quem ficava para trás.

Valia todo tipo de suborno para conseguir uma vaga. E de pistolões políticos e eclesiásticos. Quem não conseguia, entrava em pânico! Percorria o cais, em desespero!

Os dois vampiros avançavam com dificuldade.

O embarque de D. João e da família real estava marcado para a manhã do dia 27. Eram esperados a qualquer momento. O tumulto se agigantava. Temia-se que o povo impedisse o embarque do príncipe, ou o atrasasse, e então as tropas francesas cortariam a fuga...

Corria o boato de que D. João apareceria disfarçado, para poder atravessar entre os populares revoltosos. Azevedo recebia olhares atravessados, pedradas... não podiam continuar muito tempo por ali!

Descobriram o esquife preparado para o embarque do príncipe. Estava isolado por um grupo da guarda. Azevedo ouviu que D. João seria alojado no navio de nome Príncipe Real.

– Era o que eu queria saber – disse a Clemente.

– Viajarei com D. João?

– Por que não? Deve ser o melhor serviço de bordo.

Azevedo o arrastou para trás de imensos caixotes e, afastados do olhar da multidão, Clemente foi erguido novamente por baixo dos braços, e flutuou por sobre as águas do Tejo, até pousar tranquilamente na proa do Príncipe Real.

A confusão ali também era grande. A expectativa pela chegada a qualquer momento de D. João apressara ainda mais os preparativos de última hora. Tratavam de abastecer o navio com tonéis de água, porcos, pipas de vinho, lenha, caixas de trigo e frutas. E galinhas vivas, muitas galinhas, a paixão do príncipe.

Ninguém deu atenção aos dois vultos negros se esgueirando entre os caixotes que esperavam para ser armazenados no porão.

Azevedo abriu um deles, despregando sua grossa tampa. Estava cheio de livros. Abriu espaço, atirando alguns volumes ao Tejo, e Clemente se deitou dentro do caixote.

– Boa viagem, meu amigo – Azevedo se despediu.

– Brasil... – Clemente balançou a cabeça, e até esse pequeno movimento lhe custou algum esforço. – Quem diria... Sabes que tenho um filho lá?

Ele estava se referindo a mim.

– Todo português tem algum parente no Brasil.

– Obrigado, Azevedo.

– Cuide-se. Daqui a algumas semanas estarás melhor. Procura rezar a Deus e pedir à Santa Madre Igreja que...

– Para, velho beato – Clemente lhe estendeu a mão. – Acredita no que precisar acreditar, mas não aborreça os outros com isso.

Os dois riram.

Azevedo cobriu o amigo com livros e tornou a fechar o caixote. Depois voou de volta a Lisboa.

No torpor da fraqueza provocada pela punhalada de Iglésias, e pelos primeiros raios de sol que clareavam a proa do Príncipe Real, Clemente sentiu o caixote descer, descer muito, como se o estivessem enfiando dentro do mar.

Muito tempo depois ouviu ao longe, entre o barulho da chuva e do vento, muitas salvas de canhão, partindo de algum navio da esquadra.

Eram os ingleses saudando D. João, que partia, abandonando o povo à própria sorte.

# Invasores e fugitivos

© Archivo Iconografico, S.A./Corbis

Exímio estrategista e ambicioso conquistador, Napoleão Bonaparte redefiniu as fronteiras da Europa no início do século XIX com sucessivas invasões e anexações de territórios. O pintor francês Jacques-Louis David retratou toda a altivez de seu imperador neste quadro.

© Bibliothèque Nationale/Akg-Images

Jean Andoche-Junot serviu a Napoleão em diferentes campanhas militares. Após invadir Portugal, foi nomeado duque de Abrantes. Dizem que chegou até a ambicionar o trono português.

Apesar de ser lembrado por alguns como indolente, covarde e glutão, D. João tomou medidas que beneficiaram o Brasil.
A pintura acima, de autoria desconhecida, retrata sua fuga de Portugal.

# Capítulo 6

# "Só Deus sabe para que praia seremos arrastados"

(D. João)

A travessia do Atlântico, rumo ao Brasil, junto com D. João, foi uma experiência terrível. Baixado ao porão de qualquer maneira, Clemente acabou armazenado de pé: as varizes o atacaram!

A corte portuguesa, a dinastia dos Bragança, Portugal... tudo ficou de pernas para o ar. Menos Clemente, que é quem mais precisava disso.

Com a idade, alguns de nós vampiros adquirem tendência a acumular o excesso de sangue, e suas impurezas, na base do corpo, dos pés até os joelhos. É um processo normal de decantação, o mesmo que faz a borra se acumular no fundo da garrafa de vinho.

O tratamento é simples: basta dormir de cabeça para baixo.

A lenda nos associou aos morcegos, e com razão: chupamos sangue; temos dois dentes proeminentes na arcada superior; voamos; vivemos à noite; nosso olfato é apuradíssimo; gostamos da cor preta; nossos olhos têm um brilho vermelho; podemos nos mover na total escuridão... Mas o fato de dormirmos de cabeça para baixo é mera coincidência. Só alguns de nós precisam fazer isso, e o motivo são as varizes.

Aconteceu então que todo o sangue sugado do funcionário do Erário Público foi, durante a viagem ao Brasil, dia a dia, noite a noite, descendo para as pernas de Clemente, inchando suas veias.

Era só passar um ou dois dias pendurado de cabeça para baixo. Mas ele se encontrava enfraquecido. Não conseguia virar névoa, nem tinha forças para se mover.

Maldisse sua sorte. Vampiros com varizes eram ridículos! Precisava de sangue. Talvez alguns litros de sangue fresco o fizessem recuperar as forças.

Quatro semanas passou naquela agonia, incapaz de agir, até que descobriu restar-lhe um poder: a telepatia!

Sua única chance.

Teve sorte. No começo da quinta semana um pensamento externo se destacou, pela proximidade. Um homem havia descido ao fundo do porão e estava a poucos metros do caixote de livros.

Um calafate.

Os navios eram de madeira, e a água do mar costumava se infiltrar entre as frestas das tábuas do casco. O volume de água que minava podia ser tanto que, se as bombas de sucção manuais não dessem conta do recado, provocaria o naufrágio. Havia um profissional encarregado de vigiar as frestas, e as calafetar com betume, pasta de chumbo e estopa.

Concentrou-se no calafate... foi introduzindo uma mensagem em sua mente: "Abre este caixote de livros... Abre este caixote de livros...".

Continuou sugestionando-o, sem parar, até sentir um barulho ao lado... caixas sendo deslocadas. Uma delas caiu no chão, produzindo um grande estrondo que ecoou no porão... O arrastar de madeira sobre madeira... sua audição clareou... galinhas cacarejando... o mar batendo contra o costado... o ranger do casco... Seu corpo tombou para o lado com violência! Pancadas fortes! Muito fortes! Na tampa de seu caixote! Uma ponta de ferro, pregos rangendo, a fina réstia de luz de uma lamparina feriu seus olhos...

A tampa foi erguida!

"Remove os livros... Remove os livros..."

Uma cabeça de homem apareceu sobre ele! Um rosto transtornado de susto e pavor! A lamparina ofuscou Clemente! Instintivamente, ele esticou os braços e agarrou o calafate pelo pescoço!

Puxou-o. O homem caiu dentro do caixote, desequilibrado, com as pernas para o ar. Tentou lutar, debateu-se, agarrou-se às bordas, mas as mãos de um vampiro com sede não se abrem por nada. Clemente foi flexionando os braços, aproximando o pescoço do homem... e afinal cravou os dentes na jugular externa!

Lambuzou-se com o primeiro jato de sangue.

Era um homem grande e forte. O sangue saiu com muita pressão. Encheu-lhe a boca. Engoliu-o aos borbotões. Pressionou a língua contra os dois furos, para estancar o jato. Lambeu-os. Cravou novamente os dentes.

O calafate já não esperneava.

Clemente sugou tudo o que pôde. Empurrou o homem para fora. Ele tombou, rolou e caiu do alto da pilha de caixotes. Um saco vazio. Sem vida.

Sentia-se melhor. Mais forte.

Tentou se transformar em névoa. Não conseguiu.

Mas já podia se mover ou, ao menos, arrastar-se, com aquelas pernas inchadas. Pulou do caixote. Não sabia se o sol nasceria em breve, mas queria sair daquele porão, movimentar-se, aliviar as varizes... saber o que havia acontecido... onde estava...

Espanou a poeira das roupas, penteou o cabelo com os dedos e começou a subir lentamente a longa e estreita escada de madeira que levava ao convés. Estava com as pernas, do joelho para baixo, parecendo dois pilões enormes, ardendo e pulsando, ardendo e pulsando.

O fedor começava no porão, e ia piorando à medida que subia as escadas. Víveres malconservados se estragando, carnes putrefatas, fezes humanas e corpos sujos. Animais defecando por todo lado.

Ares fétidos sopravam da proa, onde as pessoas formavam filas para fazer suas necessidades a céu aberto, agachadas em uma plataforma suspensa sobre o mar.

A escada o havia levado à popa, junto ao cordame das velas. Noite escura, nuvens pesadas encobriam a lua e as estrelas. Escondeu-se atrás de uma pilha de barris amarrados com correntes de ferro. Por todo o convés, em cada canto, humanos deitados, sentados... O navio superlotado... Homens e mulheres vagavam à procura de um espaço para dormir... Ninguém tinha cama nem coberta... A multidão exalava o cheiro azedo do vômito... E aquela era a nau capitânia! As outras deviam estar piores!

A frota partira havia cinco semanas. No total, mais de dez mil humanos tinham fugido de Portugal junto com a família real, abarrotando as 17 embarcações da esquadra real, entre navios, fragatas e brigues; e todas as outras que foram se juntando às pressas nas vésperas da fuga, num total de mais de 50, escoltadas por quatro naus de guerra inglesas também lotadas.

Na aflição do embarque, famílias foram alojadas em navios diferentes, bagagens extraviadas, não havia suprimentos suficientes.

Centenas de corpos dormiam ao relento, sobre as tábuas frias do convés, começando a passar fome, num regime de água, bolachas duras e uma pequena porção de arroz. Entre passageiros e tripulantes, em um navio de 67 metros de comprimento por 16 de largura, o Príncipe Real levava mais de mil pessoas. Entre elas, o príncipe D. João, seu primogênito Pedro e sua mãe maluca, D. Maria I. Se aquele navio naufragasse, lá se ia para o fundo do Atlântico toda a linha sucessória da dinastia dos Bragança.

Carlota Joaquina teria gostado disso. A mulher de D. João viajava no navio Afonso de Albuquerque, desolada. Numa terra estranha, longe da Espanha e dos parentes poderosos, não poderia continuar conspirando contra o marido.

Clemente se sentiu seguro para caminhar. Havia muita gente por ali, estava escuro; e acabara de chupar sangue, tinha a pele do rosto levemente rosada, podia passar por humano.

Arrastou as pernas inchadas por entre os corpos adormecidos. Muitos vestiam túnicas improvisadas com o cânhamo grosso das velas, ou lençóis e cobertores doados pela marinha britânica. A maioria trazia a cabeça raspada. Uma infestação de piolhos se alastrara entre os passageiros, agravada pela falta de água para tomar banho e a ausência de privacidade. Os nobres haviam sido obrigados a jogar suas longas perucas no Atlântico.

Clemente caminhava entre aquilo que havia sido uma corte, distraído com o que via, esquecido completamente de sua condição de vampiro, quando ouviu um grito.

Uma senhora careca, histérica, apontava para ele e berrava:

– Escorbuto! Escorbuto!

As pessoas começaram a acordar.

Escorbuto era a doença mais temida nas viagens de navio. A ausência de alimentos frescos, principalmente frutas, provocava hemorragias fatais. Um dos sintomas era o inchaço nas pernas!

Clemente afastou as pessoas com largas braçadas, como se estivesse nadando num mar de gente, e procurou a mesma portinhola junto ao cordame da popa em que havia chegado ao convés. Seus pés gordos tropeçaram no batente de madeira, e ele despencou no porão. Estatelou-se no chão de tábuas.

Subiu novamente a escada, até ultrapassar o nível do mar, atirou o corpo do calafate por uma escotilha, e tornou a enfiar-se em seu caixote de livros.

Duas semanas depois o Príncipe Real chegou ao Brasil.

No dia 22 de janeiro de 1808, aportaram em Salvador.

A esquadra original havia se dispersado na travessia do Atlântico, e boa parte dela já se dirigia ao destino final, Rio de Janeiro. D. João, porém, ficou um mês em Salvador, que na época era a cidade mais populosa do império português.

A Baía de Todos-os-Santos estava repleta de navios mercantes. Desde a tomada de Portugal pelos franceses o comércio com Lisboa fora suspenso, porque por lei a colônia só podia negociar com a metrópole, e Portugal estava nas mãos dos franceses. Para resolver a situação, ali mesmo D. João baixou um decreto para a abertura dos portos brasi-

Seis dias depois de chegar a Salvador, o príncipe regente D. João entregou uma carta ao conde da Ponte, governador da capitania da Bahia, na qual ordenava a abertura dos portos brasileiros a todas as mercadorias transportadas por navios de seus vassalos, e de nações amigas. Os ingleses, sem dúvida, foram os maiores beneficiados, pois, embora seus produtos já chegassem à colônia, o decreto pôs fim ao monopólio comercial, que era a base das relações entre metrópole e colônia. Não haveria mais intermediários para os produtos ingleses, que consolidavam sua importância por aqui.

sileiros. O Brasil agora podia negociar diretamente com as nações "amigas", quer dizer, a Inglaterra, porque todas as outras haviam se aliado a Napoleão.

Clemente não desembarcou.

Colocou-se de cabeça para baixo dentro do caixote e passou um mês assim. Às noites, para vencer o ócio, descobriu os prazeres da rede baiana, e da leitura dos livros de seu caixote.

Capítulo 7

# A chegada dos patrões

## Na tarde do dia 7 de março de 1808

Clemente foi tirado de sua letargia por estrondosas salvas de canhões e ensurdecedores repiques de sinos, amplificados pelos ecos provocados pelos imensos blocos de granito que cercavam a entrada da baía de Guanabara. O Príncipe Real aportava finalmente no Rio de Janeiro!

Quando a noite caiu, Clemente subiu ao convés, misturando-se aos nobres e à tripulação. Só desembarcariam no dia seguinte, e estavam apreensivos, sem a menor ideia do que os esperava naquela longínqua e misteriosa sede do vice-reino do Brasil.

Com as mãos apoiadas sobre a balaustrada do navio, sentiu o fedor de pólvora, peixe estragado e fezes que vinha da cidade. As águas ao redor fervilhavam de barcos pesqueiros, e uma multidão se aglomerara nas pequenas praias do centro do povoado, gritando vivas ao rei, badalando sinos, lançando fogos de artifício, erguendo candeeiros.

Um acontecimento histórico sem precedentes: uma rainha e um príncipe haviam se materializado numa colônia!

O vice-rei do Brasil, D. Marcos de Noronha, conde de Arcos, subiu a bordo com algumas figuras "ilustres" para beijar a mão de D. João, todos cobertos por perucas brancas, como um rebanho de pequenas ovelhas mofadas.

A comoção em terra era tal, que Clemente resolveu permanecer no navio aquela noite, seguro, extasiando-se diante das altas montanhas que circundavam o Rio de Janeiro. Imensos paredões de pedra se destacavam do céu escuro pela linha prateada e brilhante provocada pela intensa lua dos trópicos, erguendo-se de densas florestas tropicais misteriosas, povoadas por entidades, monstros, seres sobrenaturais e espíritos desconhecidos e selvagens.

Na noite seguinte acordou assustado com o calor. Temos medo do fogo, e o calor dos trópicos deu-lhe a impressão de que podia começar a carburar a qualquer momento.

Saiu como névoa por uma fresta do caixote e se materializou em terra, pisando pela primeira vez no Novo Mundo, entre as caixas empilhadas no depósito a céu aberto da alfândega.

A confusão era enorme. Milhares de rostos desconhecidos haviam invadido a cidade. Ninguém prestou atenção nele. Caminhou tranquilamente pela praça principal, com seu calçamento de grandes placas de granito cinza.

Ainda havia resquícios da recepção dada ao rei.

De um grande altar erguido na praça, onde a família real havia sido borrifada com água benta e beijara a Santa Cruz, saía um imenso dossel de seda, como um toldo, até uma catedral na outra extremidade.

Prosseguiu por baixo do toldo, repetindo o trajeto da nobreza àquela tarde. O chão atapetado com pétalas de flores, pedaços de canela, folhas de mangueira picadas e areia fina enfeitara o caminho do príncipe, e iludira seu olfato, escondendo o forte fedor de fezes que já começava a intrigar o vampiro.

Antes de chegar à catedral, virou à direita e depois dobrou à esquerda, numa rua estreita chamada Ouvidor. Seguiu por ela, penetrando no centro da cidade.

O Rio de Janeiro daquela época era uma vila pequena, incrustada entre a baía e montanhas altas, com pouco mais de três quilômetros de largura e uns dois de profundidade, terminando numa região de pântanos, ao pé das serras.

D. Marcos de Noronha e Brito (1771-1828) foi o oitavo conde dos Arcos. Como o último vice-rei do Brasil, governou de agosto ou outubro de 1806 até a chegada da família real, em janeiro de 1808, momento em que foi transferido para a Bahia como governador.

O centro era formado por ruas estreitas, de residências térreas e sobrados com lojas embaixo, geralmente caiados de branco. Naquela noite especial as ruas estavam enfeitadas, as portas cobertas por cortinados de damasco, e panos de seda e cetim pendiam das janelas. Nas igrejas cantavam-se hinos, e milhares de candeeiros permaneciam acesos, no interior das casas e nas ruas.

O vice-rei não poupara esforços para agradar à corte. Meses antes, os correios o haviam enlouquecido, trazendo ordens oficiais disparatadas. Uma delas o mandara fechar os portos aos navios ingleses porque Portugal se aliara a Napoleão. Ele então ordenara que as tropas se preparassem para um ataque da Inglaterra. Dias depois, novo comunicado o mandava preparar a cidade, pois a rainha louca e o príncipe estavam chegando, escoltados pelos ingleses. Confuso, começou os preparativos frenéticos para a chegada dos patrões, como um caseiro nos primeiros dias das férias.

Transformou seu próprio quartel-general, na praça principal, em Paço Imperial. Um convento carmelita e uma prisão vizinhos foram anexados com passarelas. As paredes de fora, pintadas às pressas, e as de dentro cobertas com forração de seda, mascararam um pouco a realidade do mau estado do interior do prédio, e do barulho e mau cheiro do centro da cidade em volta. Adaptou as celas dos presídios, transformando-as em quartos, e encomendou comida nas províncias situadas nos arredores.

As tropas de mula começaram a descer as montanhas carregadas de aipins, batatas-doces, carnes-secas, frangos, frutas... enquanto os trabalhadores limpavam as ruas; poliam os altares da igrejas; preparavam fogos de artifício; erguiam arcos de triunfo na rua, imitando os franceses; artistas ensaiavam danças e músicas; costureiras viravam a noite criando adereços com rendas, fitas, veludos, damasco...

E então um novo comunicado do correio: uma frota se aproximava. Prepararam tudo para a grande festa! Outro comunicado: ainda não era o príncipe, mas apenas sua tia, a cunhada, as filhas, que desembarcaram em muito mau estado, mulheres carecas por causa dos piolhos, vestindo cobertores, acompanhadas por velhos fidalgos macilentos e decadentes em suas roupas sujas e puídas, meias de seda rasgadas, alguns com só um pé de sapato.

Mas D. João afinal chegou, e a festa aconteceu.

Clemente percorreu as ruas engalanadas até alta madrugada; entrou em bares onde a cerveja inglesa já era servida; admirou nas mulheres da terra seus colares e brincos enormes, incrustados de diamantes e pedras preciosas; espantou-se com as negras nuas da cintura para cima, seios firmes e brilhantes de suor; ouviu ao longe batuques de tambores africanos... Sentiu-se em outro mundo. Teve vontade de chupar o pescoço de uma daquelas mulheres exóticas, de longos cabelos ondulados e negros, pele escura, vestidas com cores berrantes, verde-limão, azul intenso...

Vampiros, sempre que chegam a uma cidade estranha, têm como norma se hospedar no quarto mais caro, do mais caro hotel. Hóspedes muito ricos têm sempre razão. Ninguém ousa contestar seus atos, por mais estranhos que sejam. Podem exigir que nada os perturbe durante o dia, por exemplo.

Porém Clemente não demorou a descobrir que não havia nenhum hotel de luxo na cidade. Só pousadas, e poucas.

E todas lotadas, ocupadas pelos fidalgos recém-chegados e suas famílias.

Já pensando em cavar um buraco na terra para passar o dia, fez a última tentativa numa pequena hospedaria na rua de Santo Antônio. O gordo português que o atendeu, com um bigode que cobria sua boca como um telhado de sapê, foi gentil:

– Vejo que sois um homem de distinção – disse. – Com quem tenho a honra de falar?

Clemente, na cidade do Porto, inventara um título de nobreza estapafúrdio, e não viu nenhum mal em continuar a adotá-lo no Brasil:

– Sou o conde de Mirandela.

Mirandela era uma aldeia minúscula e esquecida no norte de Portugal, fronteira com a Espanha. Ninguém iria até lá verificar se existia um conde.

Ainda não acostumado a conviver com os nobres, o homem se desfez em mesuras, desculpou-se muito por não ter uma vaga e escreveu um bilhete para um amigo comerciante português.

– Digníssimo conde de Mirandela, tenho um grande amigo, o senhor Anacleto, um comerciante de grosso trato, que com certeza ficará honrado em vos dar abrigo em sua própria casa. Ele tem um grande sobrado na rua da Quitanda.

Clemente agradeceu, e estendeu o braço para pegar o bilhete. O português recuou, levemente espantado.

– Que diriam de mim se deixasse um homem de vossa posição carregar um bilhete?

Gritou para um moleque, um escravo negro de uns 12 anos, sentado na calçada cutucando um vira-lata com um pedaço de pau, e o mandou levar o bilhete a Anacleto.

Clemente seguiu o pequeno escravo pelas ruas iluminadas do centro da cidade, até a rua da Quitanda, paralela à baía. Mesmo à noite, via-se que era uma importante rua de comércio, com muitos sobrados. O de Anacleto era o maior de todos.

A loja no térreo estava fechada, mas havia movimento no andar de cima, vozes, risadas, uma viola tocando. Luzes de candeeiros saíam de todas as janelas.

Uma porta do lado esquerdo da loja dava acesso ao andar superior. Ele fechou o punho direito e ia bater, quando ela se abriu de repente e uma jovem, achando que ele iria socá-la, gritou!

Os dois se olharam, assustados, por alguns segundos.

Ele nunca havia visto beleza igual.

Sentiu uma atração tão forte pela jovem que foi como se estivessem puxando sua alma para fora do corpo.

Olhos redondos, negros, vivos, profundos. O susto fazia seu peito arfar, expandindo-se e contraindo-se dentro do corpete apertado. A alça esquerda do vestido sem mangas caíra, revelando as curvas macias de seu ombro e a profundidade suave da clavícula. Seguindo-os com o olhar, Clemente chegou ao mais lindo pescoço que já vira em todos os seus oito séculos, longo, torneado, coberto por uma pele cor de barro seco, liso e macio, com a jugular pulsando. Ele podia ouvir o sangue bombeando forte. Precisou fechar os olhos por alguns segundos para se controlar, impedir seus caninos de crescerem. O impulso de cravar os dentes naquele pescoço era avassalador...

– O que o senhor deseja? – ela se recompôs.

– Ele ia socar a porta – o moleque riu. – Aqui se usa bater palmas, senhor conde.

– Conde? – ela arregalou os olhos, cruzou os braços e coçou os cotovelos.

Clemente se curvou, numa mesura:

– Conde de Mirandela, senhorita. A seu dispor.

– Fá... Fátima – a menina gaguejou.

O escravo entregou o bilhete para ela e se afastou, correndo, perdendo-se na multidão festiva.

Os cabelos de Fátima eram negros e lisos. Chegavam à cintura. Havia uma flor de maracujá sobre sua orelha esquerda. Os lábios grossos e vermelhos pareciam desenhados por um renascentista italiano.

O corpete justo mostrava formas perfeitas. Bustos fartos, firmes, que continuavam a arfar. A cintura, tão fina, nem precisava de espartilho. Ancas largas e arredondadas. Seus contornos estavam para o das mulheres europeias como um violão está para um tambor.

Clemente pegou sua mão direita para beijar, sentiu nos lábios aquela pele cor de trigo maduro, e o sangue delicioso que corria por baixo. Precisava provar daquele sangue.

Ela olhou para o bilhete, embaraçada. Ele percebeu que a moça não sabia ler e a ajudou:

– É para o senhor Anacleto.

– Papai? Um instante só! Vou chamá-lo!

Sorriu, com uma certa malícia, mostrando dentes resplandecentes e uma alegria de menina. Deu-lhe as costas. Os cabelos acompanharam seus movimentos, refletindo a luz do candeeiro espetado no alto da porta. Subiu três degraus e parou. Voltou novamente, encabulada:

– Eu havia descido para pegar um pano que caiu da janela...

Passou rente a ele. Tinha o cheiro doce e selvagem de floresta úmida. Os cabelos roçaram o braço do vampiro e ele sentiu os dois caninos crescendo. Sorriu sem abrir a boca.

Ela apanhou rapidamente o pedaço de cetim vermelho sobre uma das pedras do calçamento. Estava descalça.

Ele quis beijar aqueles pés. Ela passou novamente, rindo como se estivesse cometendo uma travessura e, talvez por fingimento, tropeçou e precisou segurar o braço do vampiro, para não cair.

A casaca impediu que Fátima sentisse o contato com aquele corpo gelado e morto.

Tornou a olhá-lo com malícia, puxou a saia com as mãos, revelando as pernas quase até os joelhos, e subiu a escada correndo.

Clemente viu as mais lindas batatas da perna de toda a sua existência sobre a face da Terra.

Grossas, lisas, duras. Selvagens como tubérculos.

Meu pai-vampiro é louco por batata da perna. Aquela visão foi como um raio atravessando seu coração. Ele estava, desde aquele instante, irremediavelmente apaixonado, e pronto a cometer todo tipo de insensatez.

Capítulo 8

# Vampiro apaixonado

Anacleto era baixo e gordo. Talvez por um processo de mimetismo, a maioria dos homens portugueses daquela época, ao envelhecerem, ficavam parecendo com um barril de vinho.

Tinha uns 50 anos; os cabelos já brancos, compridos, terminando num fino rabo de cavalo amarrado por uma fita azul; bochechas salientes, como as de D. João; e costeletas fartas, que se encontravam no queixo, curvas, colocando a boca entre parênteses.

Era um comerciante português, um reinol, como se dizia, ligado aos interesses de Portugal. Possuía dois armazéns atacadistas na rua Direita: grandes galpões, sempre repletos de produtos de exportação, como açúcar, algodão, café e tabaco. Era dono também de uma "rede de vendas": quatro lojas varejistas, de beira de rua, espalhadas pela cidade; fora aquela ali, da rua da Quitanda, que estava fechada, servindo como depósito de escravos, uns dez, dormindo em esteiras, acorrentados para que não fugissem.

Escravos eram outra fonte de renda de Anacleto. Desde que se instalara no Rio de Janeiro, havia quase 30 anos, comprava escravos no varejo, no mercado do Valongo. Alguns, para trabalhar nas lojas; outros, para alugar; e, aos mais ladinos, ensinava um ofício manual, revendendo-os com um bom lucro.

Durante o século XVI, a maior parte dos escravos vinha da Guiné-Bissau e Cacheu, e da Costa da Mina. A partir do século XVII, eram trazidos mais do Congo e de Angola. Os angolanos predominavam no século XVIII, constituindo aproximadamente 70% dos escravos. A comum divisão em dois grandes ramos étnicos – os sudaneses e os bantos – esconde uma visão imprecisa, forjada pelos colonizadores. De fato, entre esses dois grupos existiam muitas tribos, reinos e culturas próprias.

O principal local de desembarque e comércio de negros era na atual Praça Quinze e seus arredores. Ali, homens sequestrados em Angola, Congo e Moçambique eram vendidos para trabalhar como escravos. O crescimento do tráfico e a presença maciça de cativos incomodavam a burguesia lusitana, que pressionou o marquês do Lavradio a bani-los dali. Por volta de 1770, cansado de ouvir reclamações, o marquês decidiu transferir o mercado de escravos para a região do Valongo, até então ocupada por chácaras e hortas.

Cerca de quatro anos antes começara também a se arriscar como plantador de café, comprando uma propriedade em Santa Cruz, a uns 50 quilômetros do centro da cidade. Esperava a primeira colheita para o final do ano seguinte.

Clemente foi convidado a subir as escadas por uma escrava jovem, envolta em panos de cores berrantes, com duas flores em lugar de brincos e uma grande rosa espetada nos cabelos. Deixou-se levar, seguindo o rastro do perfume exótico que emanara do corpo de Fátima, esquecido até de que era um vampiro, e foi assim despreparado que chegou ao andar de cima e se encontrou no meio de uma festa.

Anacleto, que o esperava no alto da escada, em mangas de camisa e de tamancos, bêbado o suficiente para esquecer a etiqueta necessária ao trato com a nobreza, deu-lhe um abraço apertado. O gordo reinol nunca soube o risco que correu, pois os caninos de Clemente praticamente encostaram em seu pescoço roliço, atrás da costeleta esquerda.

– Ó, homem! Estás gelado! – Anacleto se espantou. – Ó Rita, traga uma taça de conhaque para o nosso conde!

– Gelado, com um calor desses... isso é mal das tripas – disse Rita, a jovem escrava, mucama de Fátima, colocando uma taça na mão de Clemente.

Anacleto empurrou a mão do vampiro, praticamente despejando-lhe a bebida pela goela abaixo, queimando-lhe horrivelmente as entranhas.

– Esse homem tá esquisito... – gritou um moleque de uns 10 anos, filho de escravos. – Branco como uma vela!

Riram. Clemente não sabia onde se enfiar. O conhaque o fez perder a voz.

– Cala essa boca, ó capadócio! – Anacleto deu um cascudo na cabeça do menino.

O moleque correu, esbarrou na roca de fiar algodão, embaraçou os pés em um novelo e saiu desenrolando-o escada abaixo. Os presentes, homens e mulheres, brancos e negros, caíram na gargalhada.

Clemente não estava entendendo mais nada. Sentiu novamente o braço de Anacleto envolvê-lo.

– Ó conde, não fiques sisudo, homem... e vai nos desculpando a pândega, mas hoje é dia de festa e já nos pesam no cérebro algumas arrobas de vinho.

– Mas ele está pálido mesmo – disse uma senhora gorda e bigoduda, sentada em um estrado de madeira.

– Estás a passar mal? – e Anacleto olhou-o de perto.

Clemente tonteou com o bafo do outro, mas aproveitou para tentar sair da situação:

– Sim... enjoei muito. Nunca havia viajado de navio. Só consegui desembarcar agora à noite... e andei por toda a cidade sem encontrar um lugar onde dormir...

– Ó que agora me puseste vexado! – Anacleto bateu com a mão na testa. – Nós em festa e nosso amigo conde a sofrer! Pois vamos providenciar tudo agora mesmo! Tira-te lá, ó Rita, e mostra ao homem o aposento do sótão. E o senhor veja se está como lhe convém!

Começou então uma intensa discussão sobre se não era melhor dar algum remédio ao conde antes que ele se recolhesse, cada velha tentando aos gritos provar que sua infusão era a melhor para enjoos de mar. Os homens foram partidários veementes de que o melhor tratamento seria algumas canecas de vinho, e no meio de todo o falatório um deles tomou novamente da viola e começou a cantar um fado.

Antes que Rita o puxasse pelo braço para arrastá-lo por um estreito e escuro corredor lateral que atravessava o sobrado, Clemente pôde ver... uma imagem de sonho... Fátima, olhando para ele, de um canto da esteira, coçando os dois cotovelos ao mesmo tempo, sorrindo... E não foi uma ilusão de apaixonado, pois em seguida uma senhora ao lado dela, certamente a mãe, cutucou a menina!

Rita o conduziu à parte de trás da casa. Depois do grande salão onde estavam, havia três quartos enfileirados e, em seguida, uma outra sala, avarandada, dando para um quintal largo, com uma mangueira e uma pequena cocheira, onde descansavam dois cavalos e uma mula. A um canto da varanda, debruçada sobre o quintal, uma cozinha com largas janelas e paredes enegrecidas de fuligem. Do lado oposto, uma escada estreita de madeira levava ao sótão.

Era um cômodo só, comprido e escuro, com o teto muito inclinado. Rita levou um candeeiro aceso, penico, jarra de água e cobertas limpas.

Havia apenas um baú, uma esteira e uma cama bruta com a qual Clemente simpatizou, pois lembrava um sarcófago.

– Posso pedir um favor?

– O senhor manda, seu conde.

– Deixem-me dormir o dia todo. É o que eu preciso para me recompor da viagem. Não me acordem, sob nenhuma hipótese.

– Nunca vi uma hipótese. Acho que aqui não tem esses bichos não, senhor.

– Não é nada disso. Apenas me deixem dormir até amanhã à noite, está bem?

Quando ele se viu a sós, sentou na beira da cama, pôs as mãos na cabeça e falou alto:

– Com os diabos! Onde foi que me meti! Estou numa terra estranha! Cercado de bêbados! Hospedado numa casa de família! Apaixonado por uma menina 847 anos mais nova!

Faltavam ainda umas três horas para o sol nascer. Esticou-se na cama, cruzou os braços atrás da cabeça e ficou olhando o teto.

Durante a viagem, dentro do caixote de livros, teve muito tempo para refletir e decidira voltar a Lisboa assim que se sentisse forte o bastante para lutar contra os invasores de Portugal. Ele e Azevedo comandariam uma imensa horda de vampiros portugueses e...

Agora, no entanto, estava confuso. Havia a perspectiva de uma nova morte-vida naquela terra exótica e calorenta. A perambulação pela cidade, fedorenta mas cheia de energias misteriosas, despertara nele sentimentos humanos de alegria, intensidades de emoções, desejos de abrir seus sentidos a novas sensações e, principalmente, curiosidade.

Curiosidade quase infantil.

Manter a curiosidade pela vida durante séculos é tarefa difícil para nós. O passar dos anos nos embota os sentidos, nos faz acreditar que não haverá nada de novo, perdemos a capacidade de nos surpreender. Os humanos costumam ter essa sensação no último terço de suas vidas. Nós, vampiros, ficamos "velhos" indefinidamente, sem a doce perspectiva de morrer.

Naquela primeira noite no Rio de Janeiro Clemente se sentiu humano! Curioso! Cheio de vida! Ansioso para saber o que lhe iria acontecer na noite seguinte! Esperando se surpreender a cada instante com aquele povo doido, aquela mistura de raças...

Sem falar em Fátima...

Fátima!

Estaria apaixonado mesmo? Talvez estivesse enganado, e aquela história de se sentir "humano", e de "amor", não passasse do velho desejo de sangue. O sangue de Fátima. Seria amor, ou apenas sede?

Decidiu tirar a prova da maneira mais simples.

Foi ao quarto de Fátima para cravar os dentes em seu maravilhoso pescoço, chupar-lhe o sangue até a última gota e acabar com aquele romantismo idiota!

Esperou a festa acabar. Quando todos já estavam dormindo, flutuou como névoa por fora da casa até a janela de Fátima.

O ataque clássico do vampiro às donzelas indefesas... olhar através da vidraça a vítima dormindo... entrar por uma fresta da janela e... não havia janela!

No Brasil as tais donzelas dormiam em quartos sem janelas, chamados de alcovas, justamente para que continuassem donzelas. Teve de dar a volta pela cozinha e passar por debaixo da porta! Isso cortou um pouco o clima.

Materializou-se ao lado da cama. Era um quarto estreito e abafado, fracamente iluminado por uma vela votiva. Havia apenas a cama e uma canastra. Fátima estava descoberta. Dormia com uma camisola de seda branca, muito fina, quase transparente. Estava de

lado, virada para a parede. As coxas grossas dobradas, um braço cobrindo os seios, os longos cabelos escorrendo suaves sobre o travesseiro...

Clemente sentou na beira da cama, embevecido diante de tanta beleza, e suavemente puxou os cabelos de Fátima para trás, revelando-lhe o pescoço. O pescoço! Ele podia sentir o sangue fluir tranquilo pela jugular! Encostou o nariz... ela exalava um aroma desconhecido, como quando se amassa uma folha entre os dedos... só que era uma folha tropical... exótica.

Ficou algum tempo parado, ouvindo o coração bombear sangue para cada célula daquele corpo esplêndido. Ia dar-se um presente naquela primeira noite no Novo Mundo. Um presente inesquecível! Sugar até a última gota! Passou o dedo levemente sobre o pescoço de Fátima, sobre a jugular, sentiu a pele se eriçar, ela se contorceu num arrepio... Ele foi inclinando o corpo, bem devagar, com as mãos preparadas para segurar a cabeça e o ombro, para quando ela começasse a se debater. Devagar, abriu bem a boca, para os caninos penetrarem sem fazer nenhum estrago. Então fechou os olhos de prazer e... parou!

Não conseguiu.

Recuou. Chegou a dar um pulo e ficar de pé.

Estava apaixonado! De verdade! Não era sede! Era amor mesmo!

Se fosse apenas curiosidade, o exotismo do lugar, o Novo Mundo, ele cravaria os dentes naquele pescoço lindo, mataria a sede em meio aos mais intensos prazeres, e pronto! Sairia flutuando, disposto a levar sua vida de vampiro naquela cidade maravilhosa! Mas não...

Ele não podia matá-la! Simples assim. Ele não podia acabar com a vida de Fátima!

Aquilo nunca acontecera antes. Recusar um pescoço, abrir mão de um prazer por pensar na vítima. Ficou um tempo em silêncio, refletindo no que lhe acabara de acontecer.

Se o que sentia por ela era tão profundo, podia transformá-la em vampiro. É o que fazemos nesses casos. Chuparia o sangue de Fátima, depois daria o sangue de seu pulso para ela e a transformaria numa companheira para o resto de suas noites. Ou pelo menos por um bom tempo, porque "até que a morte nos separe" para os vampiros é quase a eternidade.

Tornar a alma de Fátima imortal, tê-la para sempre a seu lado... Claro! Tornou a se inclinar sobre o pescoço dela, a arregaçar os lábios, com os caninos à mostra... Mas recuou de novo!

Não! Não a queria como vampira! O que ele amava em Fátima era justamente sua vida humana. O cheiro. A alegria. Os olhos vivos. O sorriso malicioso. Todas as possibilidades de seu corpo humano, mortal, quente! Sua juventude! Amava a vida dela! A vida "nela"! Estava apaixonado por uma mortal. Um vampiro velho, sofrendo de varizes, apaixonado por uma garota jovem e mortal. Não conseguia pensar. Era só sentimento, ali naquela maldita alcova calorenta dos infernos. Sentia-se ridículo.

Virou névoa, passou por debaixo da porta, voltou ao sótão. O dia já ia nascer. Não havia forro no teto. Os raios de sol penetrariam entre as telhas e o torrariam. Era muito tarde para procurar outro abrigo!

Lembrou que a cama parecia um sarcófago, e descobriu que havia lugar embaixo, dentro dela, para se deitar confortavelmente. Fez isso, antes porém tendo o cuidado de trancar a porta. Já estava escutando o galo cantar no quintal.

Antes de perder a consciência, decidiu não decidir nada. Sabia apenas que não podia ficar hospedado numa casa de família. Iam perceber que ele não comia, nem aparecia durante o dia. Tinha de se separar deles, inventando porém algum pretexto para estar sempre perto de Fátima. Naqueles tempos as moças como Fátima não saíam de casa, eram quase reclusas. Clemente precisava se manter ligado à família de Anacleto.

Capítulo 9

# O melhor vizinho é um beato doido

A sorte o ajudou. E o príncipe também.

D. João mandou pregar tabuletas nas portas das casas com a inscrição "PR". Significava "Príncipe Regente", mas o povo chamou de "Ponha-se na Rua". Se você encontrasse uma tabuleta daquelas na sua casa de manhã, era um aviso de que tinha de se mudar, porque ela seria ocupada por um daqueles milhares de fidalgos falidos vindos de Portugal.

Nem precisaram pregar uma tabuleta no sobrado de Anacleto. Antes de a corte chegar já corria o boato das desapropriações, e o comerciante se adiantou ao decreto do príncipe oferecendo-lhe o imóvel da rua da Quitanda. O tal Anacleto era um tremendo puxa-saco. Não tinha enriquecido à toa. Esperto como uma raposa, o velho gordo safado.

Quando Clemente acordou na noite seguinte, encontrou a casa vazia. As mulheres haviam partido, levando a criadagem. O sobrado se encontrava silencioso e escuro. Atravessou o longo corredor. No largo salão da frente encontrou Anacleto, deitado numa rede. Este, quando o viu, pulou e novamente abraçou o vampiro.

– Ó, senhor conde de Mirandela. Sim senhor, isso é que é ser amigo de dormir. Olha que a viagem deve ter sido cansativa mesmo! Eu o estava a esperar, para me desculpar...

– Desculpar de quê? Eu é que tenho de agradecer a hospedagem, homem!

– Ontem fui com muita sede ao vinho. Faz-me ainda andar a cabeça à roda... Não o tratei com o devido respeito... Recebi-o de tamancos!

– Deixe estar. Somos todos filhos do reino.

– O senhor é um nobre, e eu e os meus ficamos de ousadias... Mas é o diabo! Nesta cidade somos todos amigos do fado! E, com a vinda da corte, não há noite sem festa. Durante o dia é um lufa-lufa, com tanta gente nova na cidade. Deus nos salve! Minha mulher Rufina, que pouco falta para ser santa, essa não bebe mais do que água pura e me alertou hoje cedo que o senhor conde pode ter ficado incomodado com a nossa patuscada, e ofendido com os risos, e aconselhou que me retratasse.

– Deixa estar, Anacleto. Eu tive foi o infortúnio de estar me sentindo mal e não poder participar da festa.

– Ó, que o senhor chegou mesmo pálido. E, para ser sincero, não aparenta ter melhorado muito... Continua branco como nuvem. E tem o corpo gelado. Parece nem ter sangue nas veias!

– Já me sinto muito melhor, não se preocupe. Vou me recuperar aos poucos. Mas, onde estão todos?

– Não moramos aqui, conde. Mantenho este sobrado para comércio. Tenho negros e animais na loja, e neste andar de cima durmo às vezes, quando algum negócio me retém até tarde no centro. Não se pode andar por aí à noite... Há assaltantes e assassinos de aluguel por toda parte. Eu e minha família residimos numa grande chácara em Botafogo. E é por isso que o esperei acordar. Quero convidá-lo para passar novamente a noite conosco... e, se nos der a honra, a casa é grande, pode ficar o tempo que quiser lá, até arranjar um pouso digno de sua condição.

– Muito obrigado, amigo. Nunca esquecerei sua amabilidade. Mas na verdade esta noite vou ao Paço, reunir-me com um secretário do príncipe, que durante a viagem prometeu-me arranjar moradia, e a quem desencontrei ontem.

Os olhos de Anacleto brilharam ao saber que Clemente tinha amigos no Paço, onde o próprio D. João estava morando. Ele tentara entrar lá naquela tarde, mas não passara do "pátio dos bichos", o saguão de entrada guardado por velhos oficiais imprestáveis.

– Também lá estive no Paço essa manhã – ele disse, enfeitando um pouco os fatos. – Fui avisar que este sobrado já se encontra liberado para os novos moradores.

– Fez muito bem. Vamos precisar de todo apoio possível para instalar a sede do império português nesta terra! Seu nome não será esquecido, pode acreditar!

O peito do comerciante se dilatou de orgulho. E interesse, pois internamente ele se coçava de ambição, imaginando as infinitas possibilidades de bons negócios, se caísse nas graças da corte e fizesse boas relações com a nobreza recém-chegada.

Não foi o único a pensar assim. Muitos homens de fortuna quiseram bajular o príncipe, oferecendo dinheiro e residências, na esperança de favores e privilégios futuros. O caso mais famoso foi o do comerciante reinol Elias Antônio Lopes, que deu sua própria casa a D. João, uma enorme mansão no alto de uma colina em São Cristóvão, conhecida como Quinta da Boa Vista, que passou a ser a sede da corte.

Cedendo a parte de cima do sobrado, Anacleto garantiu a posse da mansão de Botafogo. Quanto às suas lojas e armazéns, fariam vista grossa, contanto que ele gratuitamente abastecesse de víveres a despensa do Paço nos primeiros meses; e ainda emprestasse, sem juros, uma considerável quantia a um marquês completamente falido.

Anacleto deu-se por satisfeito. Muitos proprietários, sem amigos influentes, acabaram perdendo até a casa em que moravam. Alguns foram obrigados a pagar aluguel a nobres portugueses para poder continuar morando em seus próprios quartos.

E tão bem cuidou de seus interesses que, mesmo a loja fechada, que abrigava escravos e animais, conseguiu separar do andar de cima sem perdê-la, com o truque de alugá-la a um comerciante inglês que deveria chegar ao porto a qualquer momento.

Sua intuição, de que o governo não confiscaria uma loja alugada por um inglês, mostrou-se tão acertada que foi imitada por outros proprietários, tornando-se uma maneira de burlar as ordenações de confisco de propriedade baixadas pelo príncipe. Não se perdiam os imóveis, e ainda se recebiam aluguéis.

Anacleto continuou insistindo para que Clemente o acompanhasse a Botafogo, tinha já dois cavalos selados esperando por eles no andar de baixo, mas o vampiro recusou o convite, afirmando que não podia perder a oportunidade de se instalar em alguma residência definitiva.

Despediram-se com juras de amizade eterna e promessas de visitas frequentes.

O vampiro ganhou um novo abraço, já na calçada da rua da Quitanda.

Aquele hábito dos brasileiros era um perigo. Não há calor em nossos corpos e, com a idade, ficamos com a pele cada vez mais dura e seca. Era como abraçar um poste. Clemente acabaria sendo desmascarado.

Ele tinha traçado um plano.

Primeiro, urgente: arranjar um lugar para passar os dias. Segundo: ficar rico. Muito rico. Uma riqueza tão ofuscante que cegaria Fátima!

Tratou de realizá-lo naquela mesma noite.

A cidade ainda estava em festa. Caminhou na direção da praça principal, junto à baía de Guanabara e ao Paço. Queria encontrar uma igreja, uma ermida, ou, melhor ainda, um convento.

Vampiros, quando não encontram uma suíte presidencial num hotel cinco estrelas, têm como segunda opção de hospedagem as dependências de algum prédio católico, uma masmorra abandonada em algum convento, por exemplo. Existem dois motivos para isso.

O primeiro é que a Igreja católica, nos países dominados por ela, é dona dos melhores terrenos, nos locais mais aprazíveis.

O segundo motivo é que, por um descuido de nossa parte, se formos vistos e denunciados, todos acharão que se trata de mais um beato histérico tendo uma visão do demônio.

Clemente caminhou ao acaso, deixando o destino se encarregar de seu futuro, e isso aconteceu na esquina da rua Direita, quando uma procissão passou por ele.

Perguntou a uma senhora debruçada à janela e ela lhe disse que a procissão vinha do mosteiro de São Bento, no alto de uma colina, à esquerda, no fim da rua.

Saiu flutuando de um beco escuro, como névoa, levado pela quente brisa marinha que soprava naquela direção, sob o céu estrelado da imensa noite tropical.

Sobrevoou um mercado de peixes, a alfândega, tudo às escuras àquela hora, e ruas sujas e fedidas, pouco iluminadas, desertas, muito diferentes das agitadas e festivas ruas do centro.

Materializou-se num canto da praça principal do mosteiro de São Bento. Era calçada por paralelepípedos e cercada por um muro baixo. Ao fundo havia uma capela, com dois torreões com sinos e um relógio marcando dez horas da noite. Tinha bastante tempo ainda. Deviam estar todos na procissão, que ainda se arrastava pela rua Direita.

Aquele era o principal mosteiro da cidade, e o mais bem situado. Fora erguido sobre uma rocha alta, e lá de cima se via a baía de Guanabara, boa parte de seu contorno e algumas ilhas, banhadas pelo luar.

Clemente entrou pelo saguão do prédio principal. Numa das paredes havia um mural com o desenho de uma grande árvore, frondosa e de raízes grossas, com flores e frutos. No meio de uma grande flor, o retrato de um monge beneditino.

Atravessando o saguão, chegou a uma sala interna, de onde se avistavam as portas de vários cômodos; depois, a uma outra área, de onde saíam corredores que iam dar em mais quartos. Não gostou das acomodações. Num dia normal aquilo devia ser muito agitado. Voltou à praça de paralelepípedos. Avistou um pequeno prédio, anexo aos fundos do convento, com ar de abandono. Entrou nele. Cheirava a mijo humano, bolor e ratos mortos. Havia dois cômodos cheios de entulho e lixo, e um porão formado pelos alicerces de pedra. Desceu até ele. Estava completamente escuro, cheio de teias de aranha. Os ratos fugiram quando ouviram seus passos. Gostou do ambiente.

Descobriu um nicho nas pedras, protegido por uma pilha de tábuas podres. Era só acomodar um caixão ali e teria um ótimo lugar para se esconder. Completamente isolado e...

Escutou um espirro!

Alguém espirrou no andar de cima!

Silenciosamente, subiu até um dos cômodos, e encontrou um homem muito magro, a barba batia-lhe no meio do peito, vestido com farrapos, dormindo sobre cacos de tijolos.

Era o tipo de vizinho que ele gostava. Um beato doido.

Soube depois que se tratava de um maníaco religioso que havia cometido um crime horrível e, como penitência, passara a morar ali, vivendo de caridade. Estava há tanto tempo nisso que de criminoso passara a santo. Perfeito. A um louco daqueles Clemente podia até se apresentar, dizer que era vampiro, dar boa-noite quando acordasse e bom-dia antes de se enfiar no caixão, e ninguém acreditaria no pobre coitado.

Saiu do anexo e deu a volta nos fundos do prédio principal. Ali o terreno terminava num rochedo íngreme, junto às águas da baía. Excelente para uma fuga apressada.

O local parecia bom para ele. Não era um nobre de verdade para conseguir uma moradia com todo aquele problema de habitação. E, mesmo que conseguisse, precisaria de empregados humanos mortais, o que sempre cria dificuldades enormes para um vampiro.

Satisfeito com suas acomodações secretas, continuou com a execução de seu plano. Voltou à cidade, como névoa, levado sempre pela morna brisa marítima, e assim, pela fresta de uma janela do andar de cima, penetrou no Paço Imperial, residência do príncipe regente.

A movimentação era intensa.

A luz dos candeeiros e lamparinas não chegava a iluminar bem o teto de pé-direito muito alto, e ele pôde percorrer os corredores sem que notassem sua névoa.

Custou a encontrar o que procurava. O Tesouro Real.

Capítulo 10

# Estratégia para sedução

Quem roubasse D. João teria cem anos de perdão. Ao fugir de Lisboa o príncipe regente botou na mala metade das moedas que circulavam em Portugal, e mais uns 80 milhões de cruzados em ouro e diamantes. Quando deixou o Brasil, em 1821, repetiu a "estratégia", levando todas as arcas do tesouro e os cofres do Banco do Brasil, além de assaltar os diamantes de particulares que estavam penhorados nas caixas-fortes do banco!

Não foi fácil localizar o Tesouro Real na confusão em que se encontrava o Paço naqueles primeiros dias de caos.

A criadagem fora instalada nas celas da antiga prisão. A rainha louca ficou no convento carmelita, anexado por uma passarela de madeira. O restante da família real e seus assessores, mais de 300 pessoas, apertavam-se nos escritórios e salas.

E todos dividiam o espaço com as centenas e centenas de caixas abarrotadas de documentos e registros do Estado português, dos últimos séculos.

O Tesouro Real estava acomodado em baús e cofres, num escritório apertado, escoltado por dois guardas sonolentos que nem viram a névoa passar sobre eles e penetrar pelo vão superior da porta.

Clemente escapou pela janela, levando dois sacos de moedas de prata, para as despesas imediatas; e três bolsas grandes lotadas de diamantes e joias, para se estabelecer como um rico fidalgo nos trópicos. Os diamantes poderiam ser trocados aos poucos, sem levantar suspeitas.

Foi esconder seu tesouro no porão do anexo do mosteiro de São Bento. O beato louco dormia profundamente sobre seus cacos de tijolos.

Entocou as moedas de prata e os sacos de joias atrás de uma pedra pesada e coberta de limo e saiu novamente, dessa vez às "compras".

Clemente entrou pela fresta da porta dos fundos de uma loja da rua do Ouvidor e renovou seu guarda-roupa. Não podia mais usar o calção puído e a casaca empoeirada e encardida com que viajara dois meses dentro de um caixote.

Encheu um pequeno baú com duas casacas novas, uma preta e outra escarlate, bordadas a ouro, com lapela azul-marinho; três capas: uma de veludo azul bordada com fios de prata, uma de seda preta e uma estilo escocês, sem forro, quadriculada; coletes brancos; calções pretos; meias brancas; um chapéu tricórnio com longas plumas brancas, barra vermelha de cetim e lugar para espetar uma futura insígnia honorífica.

Completou o figurino com dois pares de sapatos ingleses, de bico quadrado, cujo preço de 9 patacas achou extremamente alto. Levou também um par de botas, ainda mais caras. Para arrematar, escolheu o mais caro e elegante espadim, curvo, de um pé de comprimento, com bainha de prata cravejada a ouro. Era o espadim que diferenciava um fidalgo dos demais súditos. Negociantes, artesãos, artistas... ninguém mais tinha o direito de exibir um daqueles na cintura.

Pelo que vira nas ruas, ali também imitavam o inimigo, os franceses. Naquela loja havia artigos da última moda em Paris. Absurdamente caros, e totalmente inadequados ao calor escaldante que fazia, como coletes de veludo, calções e meias grossas!

Pulou o muro com o baú, encontrou uma pequena sege puxada por um cavalo trôpego, e conduzida por um negro ainda em pior condições, e deu-lhe uma moeda de

Em 1815, D. João elevou o Brasil à condição de Reino, criou o ensino superior (duas escolas de medicina), a academia de Belas-Artes e o Banco do Brasil. Esses, entre outros fatores, colocaram o Brasil como Reino Unido a Portugal, resultando no descontentamento dos portugueses. Em 1820, eclodiu no Porto uma revolta que, dentre outras coisas, exigia a volta de seu rei a Portugal; assim, D. João deixou o Brasil em 1821.

Quando o vampiro-narrador diz que Clemente usava calção, não pense que ele se vestia como quem vai tomar um banho de mar ou jogar futebol. O calção, nesse caso, é uma calça que vai até o joelho ou um pouco mais abaixo. Veja como era a indumentária típica daquela época:

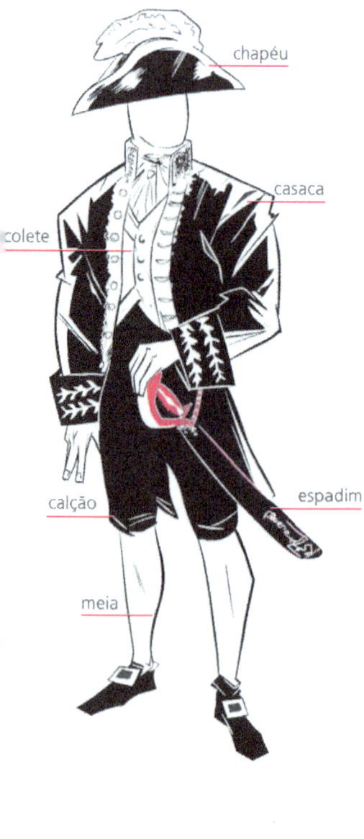


prata pelo frete. Levou-o até um beco escuro e deserto e ordenou que o esperasse ali.

Voltou meia hora depois, com um grande caixão de madeira escura e alças de prata. Prendeu o caixão sobre a sege e mandou o negro seguir para o mosteiro de São Bento.

Parou ao pé da muralha, bem afastado do portão principal do mosteiro, num lugar escuro, sem nada por perto. Descarregou o caixão, colocou o baú dentro dele, depois hipnotizou o negro para que esquecesse completamente aquele frete.

Em seguida, com o caixão na cabeça, pulou o muro, passou como uma sombra pelo pátio de paralelepípedos, entrou no anexo e arrumou tudo no porão. Com sua força e velocidade de vampiro, ajeitou pedras e madeiras podres de modo a camuflar um esconderijo perfeito.

Escutou o primeiro canto de galo.

Deitou no caixão, tampou-se e relaxou.

As primeiras providências práticas estavam tomadas.

Repetiria nos trópicos a mesma existência que levava na cidade do Porto. Conde de Mirandela. Um nobre rico e poderoso, suficientemente rico para que seus hábitos estranhos fossem considerados caprichos aristocráticos singulares, e não manias de um maluco.

Era o tipo de existência que levava havia séculos.

A vida de um nobre europeu e a de um vampiro eram muito parecidas: ambos eram parasitas, viviam do sangue dos súditos e dedicavam a vida a cultivar o ócio, tentando escapar do tédio. Não havia melhor disfarce para nós naqueles tempos.

Apesar disso, ou por causa disso, os nobres exerciam um enorme fascínio sobre os plebeus. Os homens os invejavam, e as mulheres se sentiam irresistivelmente atraídas por eles. Era com isso que Clemente contava para seduzir Fátima.

Claro, ele não estava tão enlouquecido por ela a ponto de esquecer sua condição de vampiro. Não podia "seduzi-la", de fato. Em outras palavras, não se tratava de sexo.

Quando se propunha "seduzi-la", pretendia apenas fazer com que ela se apaixonasse por ele!

Queria provar que ele, Clemente, um vampiro de mais de 800 anos, sofrendo de varizes, ainda era capaz de motivar a paixão de uma mulher linda, uma deusa, como Fátima!

Pudores românticos: mas usar o poder para isso? A riqueza? A nobreza? Daquela maneira ela não iria amá-lo pelo que ele era...

Ora, como não? Ele era rico. Ela iria amá-lo pelo que ele era: rico. Mesmo que sua riqueza fosse forjada. E qual a alternativa? Forjar pobreza? De mais a mais, ele era um vampiro, e sua vida social entre os humanos seria sempre uma farsa. Como ela poderia amá-lo pelo que ele era de verdade, se ele nunca ia poder mostrar a ela quem ele era de verdade?

Não era justo seduzir Fátima aparentando uma extrema riqueza? Mas, e a extrema beleza dela? Por acaso era justa? A beleza de Fátima era um abismo... Assim que ele a viu não parou mais de pensar nela, de vê-la em sonhos, de querer estar perto dela todo o tempo...

Ao seduzir Fátima valendo-se do dinheiro, ele não saberia se o amor dela era sincero? Que se dane! Na guerra e no amor vale tudo! Se o amor aparecesse, é porque era sincero!

Seduzi-la sendo "ele mesmo"... Essa é uma estratégia que os homens devem evitar depois dos 50 anos.

# Capítulo 11

# Fofocar não é trabalho que canse

A presença de um príncipe e de uma rainha, mesmo doida, no Rio de Janeiro de 1808, era como se de repente figuras mitológicas e sobrenaturais se materializassem nas ruas. Entidades, seres fantásticos, imagens que cultuavam em estátuas, estampavam em gravuras, adoravam em igrejas, pintavam nos estandartes das procissões e cunhavam em moedas, o povo via ali agora, em carne e osso.

Todos estavam tão perplexos, deslumbrados e encantados, aceitando que as fantasias eram reais, que nem estranhariam se vissem também um vampiro caminhando pela rua da Quitanda.

O Rio era uma cidade de 50 mil habitantes, um terço deles africanos escravizados, suja, atrasada, periférica, fedorenta. Depois que o ouro das Minas Gerais se esgotara, agora a única "importância" do Rio de Janeiro era ser o maior mercado de escravos das Américas. Colônia agrícola perdida na imensidão da América portuguesa, com um oceano e um histórico de subserviência de muitos séculos a separando da metrópole.

A rainha e o príncipe, por outro lado, eram o ápice de uma pirâmide de poder, o império português, que se estendia pelo Oriente, pela Índia, pela África e pela América. Um poder divino e absoluto. Assim como Deus não aparece fisicamente aos fiéis, reis também nunca haviam aparecido a seus súditos nas colônias. Aquilo era uma espécie de milagre. D. Maria I era a primeira rainha europeia a pisar numa colônia. Isso só aconteceria de novo no século XX.

O povo vivia como se tivesse entrado em um conto de fadas.

E foi como um príncipe encantado, com suas roupas novas e o espadim, que Clemente foi visto por Fátima quando visitou a família de Anacleto na mansão de Botafogo, e ofereceu a ela um colar de diamantes, como retribuição à hospitalidade da primeira noite.

Ficaram abismados diante do presente valiosíssimo, dado como se fosse nada.

Fátima mal conseguiu agradecer. Engasgou-se. Olhou Clemente com seus grandes olhos negros arregalados, enquanto passava a mão sobre o colar, que a mãe Rufina logo pendurou no peito da filha.

O vampiro olhou demoradamente para o pescoço da menina, agora cingido por aquele fio de pedras preciosas, moldura perfeita para tanta beleza, e teve de se conter para não mordê-lo ali mesmo. Fátima então teve uma reação inesperada, puxou a longa saia, mostrando as batatas das pernas, rodopiou e deu uns passos de dança, até ser abraçada por Rita e correr para o jardim, rindo.

Clemente se encantou com aquela alegria espontânea, inocente, de flor selvagem. A criança ainda vivia dentro dela. Ela gostava de estar viva. Já presenteara muitas mulheres da nobreza europeia com joias, e nunca vira uma reação assim... Comparadas com Fátima, pareciam plantas em vasos.

Anacleto se desculpou pelos modos da filha. Disse que a precisava educar, que a vinda da corte e da nobreza agora exigia melhores modos. Arrastou Clemente pelo braço para mostrar a casa, e que também tinha dinheiro...

Era realmente uma mansão. Dez quartos, varandas, um imenso salão para festas, o grande anexo para escravos, cocheiras e cavalariças, cercada de árvores frutíferas, alguns pés de café e nascentes que se transformavam em um riacho que ia dar na praia de Botafogo. Do portão à larga varanda da frente, um caminho de lajotas em zigue-zague cortava um extenso jardim florido.

Aristocratas, altos funcionários e comerciantes exportadores preferiam morar afastados do centro, fugindo do fedor, do barulho e do perigo dos assaltos. Construíam chácaras nos arredores, e Botafogo era um dos locais preferidos pela proximidade de uma enseada lindíssima, com vista para os dois imensos granitos que formavam o Pão de Açúcar.

– O conde tem de vir aqui de dia, para ver o terreno e a praia – Anacleto se orgulhava.

– De dia não posso – desculpou-se o vampiro. – Tenho a pele delicada, e meu médico recomendou-me muito cuidado com o sol tropical. Nesses primeiros tempos no Rio, só sairei à noite.

Anacleto assentiu. Não podia discordar de um homem que dava colares de diamante de presente.

– Então me dê a honra de oferecer-lhe um jantar nesse domingo!

– Agradeço, mas tenho o estômago delicado também. Outro conselho médico é o de evitar comidas locais por um tempo, até me ambientar. Trouxe um criado encarregado da minha dieta.

– Então já está acomodado? Encontrou moradia? Se precisar, a casa é sua...

– Obrigado. Sim. O amigo de quem lhe falei, muito importante na corte, amigo pessoal de D. João, colocará metade de sua residência à minha disposição, e posso dizer que é quase um palácio... Infelizmente ele me pediu para não revelar seu nome, nem onde habitamos, para não criar desafetos. Com tantos fidalgos desamparados por aí, morando em quartos, a distinção que teve para comigo certamente provocará invejas.

– Pois fazem muito bem. Esta é a cidade das fofocas e das intrigas. Deus fez as pessoas, mas quem nos juntou aqui no Brasil foi o Diabo. Desculpe, digo isso para que se previna. Fofocar não é trabalho que canse, e num lugar com tanta gente amiga das novidades, a chegada da corte é um prato feito. Ó povo para gostar de dar à língua! A escravaria sabe da vida dos patrões, e é do que falam nas filas para pegar água, ou enquanto lavam nossas roupas. Cada chafariz da cidade é um antro de maledicência. O senhor tenha cuidado, e não deixe de pôr sal na moleira... quer dizer, fique de sobreaviso. E pode contar com a minha amizade e experiência.

– Sei... por isso quis agradecer, presenteando sua filha.

– Mas diga lá... sem sair de dia, fazendo dieta... o conde não levará uma vida muito sisuda? Que ninguém nos ouça, mas se quiser mulheres... eu tenho minhas relações, entende? Montei casa para uma mulata no Catumbi, e conheço uma madame francesa, cujas meninas...

– Por enquanto, não.

– O médico?

– Pois é.

Anacleto coçou a cabeça. Começava a achar que o conde era maricas. Clemente leu seu pensamento e reagiu:

– Mas nesse caso é diferente... Simples descanso... da vida desregrada que eu levava em Lisboa. Excesso de mulheres...

O comerciante suspirou e sorriu, cheio de cumplicidade:

– Sei como é. Elas ficam loucas com os nobres... Ainda mais o senhor conde, tão bem-apessoado... Minhas escravas comentaram sua estampa... Mas continuo achando que levará uma vida casmurra.

– Não, se me permitir convidá-los, ao senhor e à sua família, para sair à noite... Soube que há um teatro próximo ao Paço.

– Será uma honra – Anacleto estufou o peito de satisfação. – Iremos, claro... à noite! E não precisa beber nem comer! Quanto às mulheres, se quiser trocar as pernas e fazer a roda andar de novo, saiba que por cá não é pecado fornicar com índias e negras. Ninguém vai para o inferno por isso.

Clemente se espantou com a sensação de ser um humano mortal, conversando com o "sogro". O Brasil, a paixão por Fátima, tudo ali o levava à ilusão de estar vivo.

O sorriso de Fátima... Ela irradiava uma luz solar que Clemente não sentia fazia oitocentos anos! Era como um sol que iluminava tudo.

Antes de entrar na pequena sege alugada e voltar para o centro, Clemente recebeu o terceiro aperto de Anacleto, estranho hábito dos trópicos, e se surpreendeu retribuindo o abraço!

Era uma grande novidade para ele apertar humanos entre os braços sem querer cravar-lhes os dentes no pescoço. Gostou.

A amizade intensa e assídua entre o vampiro e a família de Anacleto começou, com saídas noturnas, visitas a pessoas importantes, ou "gente de valimento", como dizia Anacleto, e reuniões na chácara de Botafogo.

# "A mais linda paisagem, entregue aos porcos"

(Lorde Byron)

**Quando a cidade afinal** parou de comemorar a chegada da corte, Clemente descobriu por que ela fedia. As pessoas simplesmente jogavam seus excrementos no meio da rua, numa vala de escoamento das águas, e deixavam as chuvas se encarregarem da limpeza urbana.

Outro sistema era juntar as fezes no quintal dos fundos, formando um monturo indescritível. Quando a situação se tornava insuportável, contratava-se um escravo denominado "tigre", que colocava aquilo em cestas e despejava na praia. Eles tinham esse apelido porque os ácidos escorriam entre as frestas das cestas e marcavam suas costas.

De uma forma ou de outra, tudo ia parar nas praias do centro, e o cheiro trazido de volta pela brisa constante que soprava do mar se somava ao fedor das casas e das ruas.

O xixi eles atiravam pela janela mesmo, tendo antes a gentileza de avisar aos passantes, gritando. Não era uma cidade boa para se viver, se você fosse surdo.

Passada a faxina e a contenção em homenagem à rainha e ao príncipe, voltaram logo os antigos hábitos e o fedor. Para o olfato sensível de um vampiro aquilo era uma tortura, piorada pelo grande calor que fazia durante o dia, apressando a fermentação das porcarias e impregnando tudo com o vapor fétido que continuava a se desprender durante a noite.

A região do Prata era disputada por Portugal e Espanha desde 1680, quando ocorreu a fundação da chamada Colônia do Santíssimo Sacramento. Foi objeto de vários tratados de limites, como o Tratado de Madri, em 1750. Em 1816, já anexada às províncias do rio da Prata, foi invadida pela coroa portuguesa e incorporada em 1821 ao reino de Portugal, Brasil e Algarves pelo príncipe regente português como província da Cisplatina.

Porém, uma das características do Rio parecia ser a convivência do muito bonito com o muito feio: o fedor e os perfumes; o abraço apertado e a extrema violência; o luxo delirante e a miséria absoluta.

Um exemplo desses contrastes era o luxo com que Rufina, a mulher de Anacleto, se apresentava para ir ao teatro: colares e braceletes de pedras preciosas e pérolas; vestidos e mantilhas de seda, bordados a ouro e prata; quatro ou cinco plumas de dois palmos de comprimento, espetadas num diadema incrustado de brilhantes... Tudo isso para atravessar ruas imundas e malcheirosas, cheias de escravos à toa, mendigos pedindo esmolas, cães vadios e ratos.

Rufina era uma mulher de 35 anos, engordada pela vida sedentária e o consumo de doces, mas ainda bonita e com um corpo atraente, que ela cobria o máximo possível com roupas e mantilhas. Descendia da tribo dos tupinambás. A mãe fora pega na mata, no laço, pelo pai, um militar português que morrera nas lutas da bacia do Prata.

Rufina fora criada pelos jesuítas, que incutiram na pobre cabocla uma aversão absoluta por suas raízes culturais. Fizeram um trabalho tão bem-feito que ela considerava seus antepassados encarnações do próprio demônio, e abraçara o catolicismo com mais ardor e intolerância do que o normal. Para ela, uma vida de penitências, confissões e rezas contínuas nunca seria suficiente para compensar o fato de seus avós maternos terem andado nus, feito sexo com variados parceiros e comido gente, nos antigos rituais de antropofagia.

Rufina tinha 18 anos e a mãe estava prestes a confiná-la no convento da Ajuda para que fosse freira, por não ter como lhe dar um dote depois da morte do marido. Foi então que conheceu e se casou com Anacleto, que começava a enriquecer. O comerciante, diante da beleza e do corpo de Rufina, abriu mão do dote. Não podia imaginar que a religião a havia estragado para os prazeres da cama.

Casara-se com uma carola delirante.

As paredes e móveis de sua casa em Botafogo eram suportes para todo tipo de objeto religioso, como retábulos, nichos com imagens, oratórios de todos os feitios, conchas com água-benta, quadros de santos com oferendas de flores, velas votivas e óleo de mamona, breviários e livros de hora, rosários, sem falar nas dezenas de crucifixos e imagens da santa-ceia.

Repetia várias vezes, antes de deitar, a ave-maria, o pai-nosso, o credo e a salve-rainha, e mandara entalhar no espaldar da cama o ensinamento de Cristo "Vigiai e orai, para não cairdes em tentação". Isso não ajudava muito a vida sexual do casal.

Ela respeitava os quase cem feriados católicos anuais, o que tornava a vida de Anacleto um inferno. Na Semana Santa, por exemplo, ele era obrigado a pagar à Igreja uma taxa para poderem comer carne.

Rufina não cortava bananas, para não ferir o desenho da cruz que havia dentro delas; e comia muita carne de porco, para que não a confundissem com maometanos ou judeus.

Procurava participar de todas as procissões, sempre coberta por uma mantilha preta, ajoelhando-se e rezando em cada esquina onde encontrasse um nicho com a imagem de Nossa Senhora em sua redoma de vidro.

Rezava às seis da manhã, hora do *ângelus*; ao meio-dia, *hora em que o diabo está solto*; e às seis da tarde, hora das *ave-marias*.

Era fanática por Nossa Senhora, a ponto de jurar que no oratório reservado a ela em sua capela havia um relicário com um punhado do leite (agora em pó) de quando a Virgem amamentava Jesus.

Ela obrigara Anacleto a construir uma capela tão grande num canto do jardim que mais parecia uma pequena igreja, e ali, todo domingo, padre Anselmo, do mosteiro de São Bento, vinha rezar missa e confessá-la.

Foi padre Anselmo quem diagnosticou em Rufina, por aquele tempo, uma doença não muito rara entre as beatas: o *scrupulus*. "Escrúpulo" era a paranoia de que a confissão dos pecados nunca era total e completa, e portanto a pessoa continuava sujeita ao risco da condenação eterna aos fogos do inferno depois da morte.

Rufina passou a se confessar três vezes na semana, às cinco da manhã, na capela, obrigando padre Anselmo a sair do mosteiro de São Bento de madrugada. A boa vontade do padre, moço ainda e sempre disposto a ajudar suas paroquianas a "superar seus desconfortos d'alma", custava um dinheirão a Anacleto em bulas, breves, relicários e celebrações de missas votivas.

– Quando casei prometi comprar-te o céu – ele reclamava com a esposa. – Mas não sabia que isso ia me custar tão caro, e não se acabaria de pagar nunca!

Fora os afazeres a que lhe obrigava a prática do catolicismo, o resto do tempo Rufina passava como as demais mulheres da elite, trancada em casa, sentada em esteiras, a dar ordens aos escravos, vigiando os trabalhos das costureiras e fiandeiras de algodão, fazendo doces e flores artificiais, bordando intermináveis panos de prato e lenços para que o trabalho manual afastasse o demônio do ócio, desenvolvendo seus caprichos e suas rabugices, sempre descontando seu mau humor nas escravas.

A chegada da corte, inesperadamente, e sobretudo a amizade de seu marido com Clemente, mudou a vida de Rufina!

O vampiro, para estar sempre próximo de Fátima e impressioná-la, arrastou a família a uma atividade social com a qual nunca haviam sonhado.

A vida da corte!

Anacleto, Clemente, Rufina e Fátima saíam duas ou três vezes por semana. Sempre à noite. Teatro, óperas, passeios, visitas. Bailes. Clemente alugava carruagens caríssimas para buscá-los e levá-los a Botafogo. E ainda dava presentes às damas. Joias. Peças de seda. Porcelanas chinesas. Aquarelas. Para Rufina, embora ela não soubesse ler nem o próprio nome, deu uma Bíblia de Sarmento em 44 volumes!

Foram três meses de festas e alegrias. Passavam noites de lua cheia estendidos em esteiras nas areias da enseada de Botafogo, com escravos os alimentando, espantando mosquitos, preparando bebidas... que Clemente continuava recusando por causa de sua dieta especial...

O vampiro se alimentava bastante com o sangue de pequenos animais como ratos e cães, de alguns bandidos solitários que encontrava pelas ruas nas madrugadas, e de uma ou outra fidalga. Isso mantinha sua pele rosada antes dos encontros com a família do comerciante, mas lhe acarretava problemas de varizes. Ainda não havia encontrado um meio de dormir de cabeça para baixo, no buraco apertado do porão no anexo do mosteiro de São Bento.

Mas sentia-se feliz como nunca. A presença de Fátima iluminava suas noites! Ela era mesmo seu sol!

Fátima conservava o sol que ele não podia ver durante o dia. Sua beleza lhe causava permanente impacto. Era como se o rosto dela nunca contasse tudo de uma vez... havia sempre um mistério... Ora ela estava triste, com uma melancolia tropical que ele não entendia ainda, ora alegre, mas sempre radiante de vida... com uma flor nos cabelos, fresca, sensual, ingênua...

Era preciso vê-la, linda, ao luar, comendo uma goiaba! Com as pernas grossas cruzadas sobre a esteira! As batatas das pernas... O colo subindo e descendo com as risadas que Clemente provocava contando alguma aventura picante das cortes europeias... Ela tinha o hábito de ouvi-lo coçando os dois cotovelos ao mesmo tempo, o que apertava seus seios e os fazia subir!

Aqueles três primeiros meses de 1808, no Rio de Janeiro, foram os mais felizes de todos os 863 anos de meu pai-vampiro! Ele estava conquistando Fátima!

Quando a carruagem dele chegava, ela vinha correndo ao seu encontro. Atravessava o jardim levantando as saias, pulando as lajotas em zigue-zague... Ela admirava o conde! Os pais diziam que, para a filha, era Deus no céu, ele na Terra! Nunca a tinham visto daquele jeito! Fátima começava a amá-lo! Clemente tinha certeza!

Até que, no final do terceiro mês, aí pelos meados de junho, chegou o inquilino de Anacleto. O inglês que iria ocupar a loja da rua da Quitanda. O representante de uma firma de comércio britânica.

Afinal, o sujeito chegou.

O maldito inglês tinha 22 anos, e era o filho da mãe mais bonito que o Criador já pôs no mundo!

13

Capítulo

# Invasões de privacidade

O nome dele era Peter.

Alto, magro, corpo atlético. O cabelo louro, liso, comprido, escorria por trás das orelhas até os ombros. Rosto fino e simétrico, dentes perfeitos. O que causava maior impressão eram os olhos, azuis tão claros e magnéticos quanto pedras preciosas. Eles irradiavam não só beleza, mas inteligência, vivacidade e bom humor.

A irresponsabilidade adolescente é uma invenção recente. No passado, com 20 anos já se era adulto. Estácio de Sá, aos 17 anos, foi capitão de uma galé. Peter era herdeiro de uma grande firma de importação e exportação na Inglaterra, e corria as grandes capitais da Europa estabelecendo filiais. Viajado, sabia falar francês, espanhol, italiano e aprendera português antes de chegar ao Rio. Tinha amigos na corte, conhecia pessoalmente o almirante sir Sidney Smith e o representante da corte britânica, lorde Strangford. Enfim: poder, dinheiro, amigos influentes, beleza e juventude.

E não estava sozinho numa terra estranha. Os comerciantes ingleses invadiam o Rio. A abertura dos portos tornara livre a exportação dos produtos coloniais. A Inglaterra podia encostar seus navios aqui e levar nosso açúcar, café, tabaco, algodão etc., sem passar por Lisboa. Os custos alfandegários se reduziram muito.

Como seria estúpido esses navios virem vazios, os caixeiros-viajantes ingleses, por sua vez, traziam para cá as manufaturas de sua crescente Revolução Industrial: uma avalanche de mercadorias, que não encontravam mercado na Europa, graças ao Bloqueio Continental de Napoleão, nem em sua antiga colônia, os Estados Unidos, por causa das relações abaladas pela guerra de independência norte-americana. Compraram ou alugaram todos os espaços comerciais disponíveis. Abarrotaram os armazéns e levaram a alfândega ao caos. Os produtos se acumulavam nos pátios, e até nas praias, expostos ao sol e à chuva.

Chegaram com muita sede ao pote, como se dizia. Inflacionaram os aluguéis e saturaram o mercado. Aquela era uma cidade de escravos. Não havia consumidores para tantas quinquilharias. Tiveram de baixar os preços. Grandes prejuízos. E ainda por cima vieram despreparados. Peter, por exemplo, trouxe aquecedores de colchão e grande quantidade de casacos de lã. O primeiro presente que ele deu a Fátima foi um par de patins de gelo. E, para Anacleto, uma carteira de couro. Só que por aqui não havia notas de papel, só moedas.

Em pouco tempo, muitos se deram mal. Faziam leilões de suas mercadorias no meio da rua, aceitavam qualquer preço. Declaravam falência.

E não tinham uma segunda chance. Um novo pedido de mercadorias à Inglaterra demorava no mínimo seis meses a chegar. Ou muito mais, se o sujeito não tivesse dinheiro para os subornos necessários à liberação na alfândega.

Peter, no entanto, não foi tão tolo quanto a maioria. Apostou numa grande diversidade de produtos. Chegou com um navio de propriedade da firma repleto dos mais variados gêneros, secos e molhados. Alguns fizeram um tremendo sucesso: cerveja preta engarrafada, queijos e manteigas, pequenos móveis, louças e talheres, relógios, sacadas de ferro, tecidos finos, sapatos, sabões perfumados... e até um piano, pelo qual Fátima se apaixonou e

Sir Sidney Smith (1764-1840) ficou conhecido por ter vivido bem próximo da família real durante sua estada no Brasil. Durante os dois anos que se seguiram ao estabelecimento da corte no Rio de Janeiro, foi comandante da base naval inglesa da cidade. Empenhou-se para ajudar D. Carlota Joaquina em algumas tramas, sobretudo nas pretensões dela sobre a bacia do Prata. Acabou sendo substituído, a pedido de D. João, pelo almirante de Courcy.

A Revolução Industrial consistiu em um conjunto de mudanças econômicas, sociais, culturais e tecnológicas, relacionadas à produção de manufaturas. Iniciou-se na Inglaterra em meados do século XVIII e se expandiu para o mundo. Com a mecanização – que resultou da utilização generalizada de muitos inventos – a capacidade de produção aumentou enormemente. Os meios de produção se concentraram nas fábricas e nas mãos dos patrões, e os trabalhadores recebiam salários. Essa profunda transformação também provocou mudanças na agricultura e no comércio.

A palavra "pacto" significa contrato, convenção entre duas ou mais pessoas. Por isso, todo pacto implica interesses recíprocos e, mesmo que a troca seja desigual, precisa ser aceita por ambas as partes. Mas a expressão pacto colonial não pode ser entendida dessa forma: ela designa um conjunto de relações estabelecidas entre a metrópole e a colônia na época das práticas mercantilistas e se baseia no monopólio, ou na exclusividade. Assim, as colônias só poderiam comercializar com as suas metrópoles, produzir o que a elas interessasse e consumir seus produtos. A colônia portuguesa chamada Brasil ficou proibida de possuir manufaturas, e destinada a fornecer matérias-primas e produtos agrícolas.

obrigou o pai a comprar. Mas o maior sucesso comercial de Peter foi o vidro.

Um dos primeiros decretos de D. João foi proibir o uso das gelosias nas janelas do centro. Através das treliças finas de madeira, as pessoas podiam ver a rua sem ser vistas. Segundo a ordem do regente, a medida era para embelezar a cidade. A verdade é que a corte temia emboscadas.

Como não havia vidro na cidade, pois as fábricas, de qualquer espécie, estavam proibidas até então pelo pacto colonial, a grande quantidade que Peter trouxe esgotou-se rapidamente, com grande lucro.

Uma consequência inesperada da substituição das gelosias pelo vidro é que então se pôde ver o interior das casas, e seus moradores, envergonhados do desleixo e da pobreza, compraram mais produtos ingleses de decoração.

Por essas e outras Peter logo se destacou entre a comunidade britânica.

Alugou uma bela residência em Laranjeiras, no alto de uma montanha, com vista para a baía de Guanabara e cercada por uma considerável plantação de café, da qual chegou a tirar algumas sacas para exportar.

O aluguel da loja da rua da Quitanda o aproximou de Anacleto.

A primeira visão que teve de Fátima o fez amigo da família...

Nas primeiras semanas, Clemente não o viu. Peter estava tão atarefado que acordava e dormia cedo, e só vivia de dia. O conde só existia à noite. O que o vampiro sabia dele era o que Anacleto e as mulheres comentavam. Só elogios. A mucama Rita repetia a todo instante que era o moço mais lindo do mundo, e ficava trocando risinhos com Fátima. Peter já havia almoçado algumas vezes na mansão de Botafogo. Viera entregar pessoalmente o piano a Fátima, e chegara a ensinar a ela algumas músicas.

Certa noite, Clemente saiu para matá-lo.

Por que não? Ele era um vampiro. Precisava beber sangue. Os humanos não comem franguinhos? Não se pode comer um franguinho sem matá-lo. Ele precisava de sangue. Peter tinha sangue. Qual o problema?

Claro, morder o pescoço do inglês era muito conveniente. E daí? Mais um motivo.

Foi até a mansão das Laranjeiras, entrou pela fresta do quarto do rapaz e... não o matou.

Não o matou, por orgulho.

O amor de Fátima era uma questão de honra para Clemente. Ele sentia que ela começava a amá-lo. O fato de aquele rapaz surgir entre os dois seria mais um desafio. Vencer a beleza, a juventude... vencer a própria "vida"! Que vitória seria! Completa! Definitiva!

Se ele cravasse os dentes no pescoço do sujeito e acabasse com tudo, nunca iria saber.

Fez um grande esforço para se conter, à beira do leito de Peter. Saiu dali às pressas, e acabou descontando num gordo inglês que saía de uma tasca, de rosto avermelhado e cujo sangue tinha gosto de malte. Sugou sua jugular até a última gota.

Na noite seguinte quase não podia andar, por causa das varizes. Improvisou um cabide com as madeiras do porão e passou o dia de cabeça para baixo. À noite, quando despertou, deu de cara com o beato maluco.

Ele estava parado, de olhos muito abertos. Clemente tomou um susto e instintivamente abriu os braços e mostrou os dentes, como um cachorro bravo. O beato saiu gritando pelo mosteiro:

– Vampiro! Demônio! Vampiro das trevas!

Não aconteceu nada. Estavam acostumados. Ele saía pelo pátio de paralelepípedos, gritando que havia visto o demônio, pelo menos uma vez por semana.

Com seus poderes telepáticos, Clemente sabia o que se passava na cabeça de Fátima. Não existe maior fonte de angústia do que poder ler os pensamentos de quem se ama. Quando ele a encontrava, à noite, ficava sabendo dos estragos que Peter fizera ao coração dela, durante o dia. O que ele conquistava à noite, o inglês reconquistava de dia, e vice-versa.

Ele via o maldito se infiltrando nos pensamentos dela. Fátima se dividia. E quanto mais ela se dividia e se sentia disputada por dois homens, mais se tornava mulher, mais sensual ficava...

Baile! Um baile em sua casa!

Aquela era a palavra mágica que Fátima precisava ouvir para acabar de explodir de felicidade pelos novos tempos que haviam chegado com a vinda da corte.

Antes sua vida era a de uma prisioneira. Vivia trancada em casa, em contato apenas com a família e os escravos. Dormia sempre em quartos sem janela. Não estudava. Saber ler e escrever, para uma mulher, era considerado um risco.

"Elas certamente fariam um mau uso dessas artes", diziam os pais.

Só saía para ir à igreja, e mesmo assim sentada no estrado da liteira de Rufina, carregada por dois escravos, atravessando o Rio de Janeiro sem vê-lo, atrás das pesadas cortinas de veludo azul-escuro.

Até então, raramente havia se comunicado com homens solteiros. Seu pai a proibia de comer com a família, se houvesse um à mesa. As missas eram as únicas oportunidades de trocar olhares com os rapazes.

Porém, aos 16 anos, já estava em idade de casar.

Desde os 14 ouvia seus pais conversando sobre dotes e arranjos com famílias importantes. Como era comum às moças da elite, provavelmente conheceria seu marido às vésperas do casamento.

Com sua incrível beleza e sensualidade, e mais a fortuna do pai, a família já havia recebido diversas propostas. Fátima só não casara até agora porque Rufina e Anacleto não chegavam a um acordo.

Sorte sua. De repente seus horizontes se alargaram. A chegada de um príncipe e de uma rainha em sua cidade havia aberto perspectivas inimagináveis para ela. Um conto de fadas.

À noite, passeava na companhia de um conde. Um homem solteiro. Que a pegava pela mão ao descer da carruagem. Que sentava a seu lado na esteira sob o luar. Que dançara com ela num baile no Catete. Que lhe dava o braço na entrada do teatro. Um homem maduro e charmoso, de rosto fino, porte superior, andar majestoso, mãos finas, dedos longos. Um conde riquíssimo. De cabelos prateados como a lua e olhos negros e profundos como um abismo.

De dia, participava de almoços e passeios com um estrangeiro lindo. De cabelos dourados como o sol e olhos claros e rasos como a beira do mar. Um rapaz alegre e viajado, falando um português atravessado que a fazia rir muito. Que sentara a seu lado no banco do piano, encostara o corpo no seu e pegara suas mãos muitas vezes, para conduzi-las sobre as teclas.

O que mais a espantava é que a tudo isso seu pai assistia sorrindo!

E ele ainda atendia a seus pedidos: contratara professora de piano e de dança; uma preceptora, recém-chegada de Lisboa, ensinava-lhe a ler e escrever pelos livros de reza; outra, uma francesa elegante, dava-lhe aulas de etiqueta, como se comportar à mesa, comer com talheres, sentar de pernas fechadas, não catar piolhos na frente das visitas, não rir muito alto...

Anacleto agora aceitava realizar um antigo sonho da filha: um baile na mansão de Botafogo!

# Capítulo 14

# A valsa do pernilongo

Clemente se adaptara à vida dos trópicos, e já nem pensava em voltar a Lisboa.

D. João também. Mudara-se para a grande propriedade da Quinta da Boa Vista e se satisfazia com uma rotina simples de orar em sua capela particular; ser barbeado pelo camareiro Lobato, de quem diziam ser amante; reunir-se com assessores; almoçar com algum nobre, quando então devorava com as mãos seus três franguinhos diários, com pão tostado; depois um cochilo; à tarde resolvia alguns negócios, ou simplesmente passeava; e no final do dia recebia ministros e conselheiros, ou realizava o "beija-mão".

D. Maria I continuara morando no Paço, no centro, de onde saía regularmente de coche a passear pelos arredores, sempre de seda preta, em seu luto perpétuo, seguida por dois cavaleiros. Dela, diziam ter o corpo aqui e a alma em Portugal. Quando morreu, depois de oito anos no Brasil, ainda não havia compreendido onde estava. Gostava de ficar horas contemplando a baía de Guanabara, mas às vezes irrompia num surto psicótico gritando que havia um demônio escondido atrás do Pão de Açúcar. Daí talvez tenha surgido a expressão "doido de pedra".

D. Carlota Joaquina, amargando o afastamento de seus parentes espanhóis e os fracassos de suas tramas políticas contra o marido, vivia entre um palacete em Laranjeiras e uma casa

D. Carlota Joaquina foi uma figura muito controvertida. De origem espanhola, família real do ramo dos Bourbon, casou-se aos 10 anos de idade com o herdeiro do trono português. Conta-se que conspirou contra o marido ainda em Portugal, pois o julgava tão incompetente para governar o país quanto D. Maria I, a Louca. E teve apoio de nobres e eclesiásticos para isso. Ficou separada de D. João entre 1805 e 1807, mas ele abafou o escândalo e acabou por trazê-la ao Brasil. Conta-se também que viveu infeliz no Rio de Janeiro, e que continuou a encontrar parceiros para suas tramas políticas por aqui. Queria fazer-se senhora da região do Prata. Mais tarde, de volta a Portugal, ainda participou ativamente de disputas políticas.

de praia em Botafogo, muitas vezes percorrendo esse caminho a cavalo, para espanto dos súditos.

Apesar da rotina tranquila, o regente teve de se tornar uma máquina de decretos. A mudança do Estado o obrigou a instalar repartições e tribunais, organizar os órgãos administrativos, a polícia... Criou o Conselho de Estado, a Intendência Geral de Polícia, o Conselho da Fazenda, a Mesa da Consciência e Ordens, o Conselho Supremo Militar, o Desembargo do Paço, a Junta Geral do Comércio... chegou até a fundar o Banco do Brasil.

Em poucos meses, quase que por acidente, o Brasil deixou de ser uma colônia para ingressar no novo sistema liberal mercantilista, abolindo os monopólios, liberando os portos e as indústrias. Até a proibição à tipografia foi suspensa, pela iniciativa do próprio governo que, logo em maio de 1808, fundava a Impressão Régia, permitindo pela primeira vez em quatro séculos de colonização que se imprimissem livros e jornais no Brasil.

Em setembro de 1808 surgiu o jornal *Gazeta do Rio de Janeiro*, e Peter, com seu tino comercial, foi dos primeiros a colocar anúncios de seus produtos. Anacleto, no começo descrente da propaganda impressa, logo foi obrigado a aderir para fazer frente à concorrência.

Embora mais acostumada com a proximidade da corte, a cidade continuava fervilhando de novidades. Costumes mudavam da noite para o dia, imitando os modismos da metrópole.

Os exemplos da fidalguia elevavam as exigências da ostentação e da moda à loucura. A elite nativa passou a querer copiar em tudo a nobreza recém-chegada. De trás das grades que circundavam o passeio público, ficavam a observar os fidalgos caminhando... Queriam saber o que vestiam, como se comportavam, como falavam e pensavam.

Até Clemente foi imitado. Alguns conhecidos acharam que seus hábitos vampirescos eram fidalguias da moda e passaram a dormir de dia, não comer em público e importar de Paris a "água maravilhosa" de M.me Martin, para tornar a pele do rosto branca como a dele.

A facilidade de importação abarrotava as lojas com as últimas novidades da moda europeia. A oferta excessiva baixava os preços.

Um total de 855 navios chegou ao porto do Rio de Janeiro em 1808. A esquecida cidade colonial se internacionalizava.

Ingleses e nobres portugueses desfilavam pelas ruas; lotavam as casas de espetáculo; expandiam a cidade, alugando mansões nos arredores, principalmente em Botafogo.

Anacleto, Rufina e Fátima queriam todos eles no baile!

Quem sabe até a vizinha, D. Carlota?

Os preparativos lembraram uma operação de guerra!

O grande salão foi esvaziado, mantendo-se apenas o piano a um canto e uma fila de cadeiras encostada à parede. Um grupo de escravos aplicou uma demão de cal em todas as paredes externas da casa, poliu maçanetas, encerou o piso de tábuas, limpou lustres e vidros, escovou cavalos, lavou panos, cuidou do jardim, cobriu a entrada de terra com saibro, encheu a varanda e a capela de flores, tirou a poeira de tudo, preparou dezenas de bandejas de todos os tipos de doces e salgados. Duas carroças chegaram carregadas, trazendo vinhos, cervejas, licores...

Anacleto não poupou. Tudo havia de ser do melhor. Chegou a comprar uma carruagem enorme, suntuosa, um luxo para poucos, e a estacionou junto à varanda, bem à vista.

A escolha dos convidados foi a parte mais difícil. Ele precisava descartar algumas amizades antigas, dos tempos das vacas magras, pequenos comerciantes que não tinham prosperado como ele, meirinhos que o haviam ajudado em alguma pendenga judicial, pequenos fornecedores de produtos para exportação que desciam da montanha em lombo de burro, fregueses de suas lojas de varejo... Por mais amizade ou favores devidos, não podia misturar um plantador de mandioca com um lorde inglês!

Clemente foi de grande ajuda.

Ser íntimo do conde de Mirandela, ter sido visto em sociedade com aquele nobre riquíssimo e imponente abrira muitas portas a Anacleto. Até o vice-rei, que antes declinava seus convites de visita, agora fazia questão de inclinar a cabeça e segurar a aba do tricórnio quando se cruzavam na rua, perguntando pela família; e já o recebera em casa duas vezes, para tratar de negócios relativos à exportação. Vários nobres o cumprimentavam nas ruas do centro, a alguns chegara a visitar na companhia do vampiro. O mesmo se dava com os mais altos funcionários públicos, e até ministros o saudavam na ópera.

Clemente lhe deu a feliz ideia de mandar imprimir um convite, com data e local do baile, feitos na Impressão Régia por um preço altíssimo. Foram distribuídos uma semana antes, por seu escravo mais bem-apessoado que, vestindo uma libré nova, montado num cavalo branco com arreios luxuosos, percorreu os arredores da cidade.

Na escolha dos músicos também tinha de ser cauteloso. Nada de negros tocadores de rabeca, ou malandros fadistas flertando as mulheres com acordes de viola.

– Pelas cinco chagas de Cristo que esse baile não pode descambar para os descalabros de sempre – estressava-se Anacleto. – É para ser um baile aristocrático, e não um farrancho que sempre acaba em sarilho!

Contratou então quatro componentes da orquestra do teatro, que com o piano e violinos se encarregaram das valsas e, principalmente, do que era moda na corte: o minueto.

Fátima e Rufina tiveram de tomar aulas de dança às pressas, e a contratação de uma professora francesa custou uma fortuna a Anacleto.

Enfim, no grande dia, os salões da família se abriram à mais alta sociedade do Rio de Janeiro.

Foi um sucesso!

Carruagens de luxo e seges de aluguel congestionaram a estreita estrada de barro cercada de mato que partia da Glória. Um caminho de tochas, acompanhando o zigue-zague das lajotas, conduzia os convidados pelo jardim até a varanda e o salão imponente.

Se o falso prestígio do conde Clemente arrebanhou dezenas de nobres, dois ministros, um conselheiro de Estado, alguns militares de alta patente e vários funcionários públicos importantes, o prestígio financeiro real de Peter trouxe com ele a nata da comunidade britânica, grandes exportadores. Até lorde Strangford e o almirante Sidney Smith compareceram!

A música começou às seis e meia da tarde. Às sete o salão já fervilhava de casais dançando.

Todos queriam dançar.

Nem só a música, porém, era a causa de tamanha agitação. Uma quantidade absurda de pernilongos e borrachudos atacou os convidados, picando sobre os finos e colantes calções masculinos, mordendo os calcanhares e os bustos que saíam dos vestidos decotados das senhoras, e a única forma de suavizar um pouco o martírio era movimentando o corpo.

Fátima estava deslumbrante, num longo vestido escarlate, bordado a ouro, mangas bufantes, cintura justíssima acentuando a largura dos quadris... Uma visão sublime! Os cabelos negros e lisos de índia caindo sobre os ombros, como um manto! Uma margarida em ouro e prata sobre a orelha esquerda! Que rosto! Que olhos! Que alegria de viver! Que corpo! Coberta de joias!

Ela havia colocado todas as joias que Clemente lhe dera! Bom... isso o preocupou. Elas poderiam ser reconhecidas como pertencentes ao Tesouro Real... com tanta gente do governo ali!

Fátima dançava, leve como uma borboleta numa manhã de primavera.

Peter, o almofadinha incrivelmente bonito, era aquele tipo insuportável de sujeito que faz tudo bem. O maldito dançava o minueto como se o tivesse inventado! Ele e Fátima foram o par mais constante da noite!

Várias vezes Clemente quis levá-lo para fora, chupar todo seu sangue e esconder o corpo entre as bananeiras! Não precisava de telepatia para descobrir que os dois estavam se apaixonando! Naquela noite, naquele baile, começou a longa jornada de meu pai-vampiro pelas veredas do ciúme, da angústia, do desespero...

*Memórias de um sargento de milícias*, de Manuel Antônio de Almeida, é um clássico da literatura brasileira. A história se passa no Rio de Janeiro durante a estada da família real e narra as aventuras de Leonardo, que, dado às farras e avesso ao trabalho, vive sendo perseguido pelo major Vidigal, que não quer saber de aprontadores como ele perambulando nas ruas da cidade.

Tão transtornado de ódio e ciúme ele estava, que custou a sentir que um sujeito alto, mais para o gordo, de fala mansa e gestos lentos, cutucava discretamente seu braço.

– Conde de Mirandela? – o homem perguntou, em tom irônico, inclinando a cabeça respeitosamente.

– Pois não? – respondeu.

Ele usava a farda de gala da polícia:

– Sou o coronel Vidigal. Poderia me acompanhar a um canto discreto?

Clemente ficou muito assustado. Vidigal era um militar do "corpo da guarda", temido e respeitado, amigo pessoal do vice-rei, extremamente rigoroso com o cumprimento da lei. Anacleto já lhe falara dele, e da conveniência de ser seu amigo.

Vidigal faria uma carreira ascendente com a chegada da corte, terminando como autoridade máxima de polícia nos anos seguintes. Seria o árbitro supremo no Rio de Janeiro, juiz e distribuidor de penas. Ficou eternizado nas páginas do romance *Memórias de um sargento de milícias*, de Manuel Antônio de Almeida.

Major Vidigal!

Ele mesmo. Em pessoa. Naquele tempo, ainda coronel.

Foram para um canto isolado do jardim, junto à parede da capela. Clemente tinha certeza do motivo: o policial reconhecera as joias do Tesouro Real no corpo de Fátima! Devia estar investigando o roubo há tempos, ter interrogado pessoas! Pelo visto já sabia de tudo. Ele tinha sido descuidado, estúpido, querendo se exibir para a menina! Agora estava tudo acabado! Só lhe restava morder aquele pescoço duro à sua frente, jogar o corpo no mato e sair da cidade.

Vidigal acendeu um charuto, com toda a calma, olhou-o nos olhos e disse:

– O senhor é um vampiro.

– Como? – Clemente deu um passo para trás, atônito.

– Calma, conde. Eu também sou.

# A eternidade por um beijo na boca

Domingos. Eu já escrevi um livro sobre ele. O livro se chama *O vampiro que descobriu o Brasil*.

Domingos estava no Rio de Janeiro naquele período!

Domingos, o vampiro que tinha o raro poder de entrar com sua consciência dentro do corpo dos humanos. Lá estava ele, ocupando o corpo do coronel Vidigal!

Seu velho hábito de ocupar corpos importantes. Vampiros precisam encontrar maneiras de vencer o tédio. Ele se divertia. Agora policiava a cidade, caçava bandidos; alguns ele levava para a mata e chupava-lhes o sangue.

Contou a Clemente que era muito divertido ser temido, perseguir criminosos, acabar com arruaças... e ainda ser amante de Maria Regalada. Na época ele não sabia estar contribuindo para um dos maiores clássicos da nossa literatura.

Ele e Clemente já se conheciam. Eram amigos em Portugal. Encontraram-se muitas vezes desde o século XII, até Domingos vir para o Brasil junto com a esquadra de Cabral.

Domingos só queria cumprimentar Clemente, marcar um encontro, para botar o papo em dia, talvez sair para chuparem alguns pescoços.

Clemente saiu do baile arrasado.

Ele podia ver a aura dos seres vivos, o halo luminoso que recobre seus corpos e que muda de cor e intensidade segundo variam suas emoções.

*O vampiro que descobriu o Brasil* é outro livro que pertence a esta coleção. Conta a história de Antônio, que em 1500 é atacado por um vampiro em Lisboa e também se torna um chupador de sangue. Para tentar recuperar sua mortalidade, sai em busca de seu agressor, que embarca na esquadra de Cabral. Antônio também vem junto. Assim, nessa busca, ele descobre o Brasil e acompanha os 500 anos da nossa história.

Amargurado, constatou que quando Fátima e Peter se encontravam seus corpos irradiavam um azul intenso e, nas partes que se tocavam, quando as mãos se apertavam durante o minueto, por exemplo, no local surgia o vermelho vivo da paixão carnal.

Ele havia se iludido. Muitas vezes vira Fátima recebê-lo com aquele mesmo azul intenso e a julgara apaixonada. Mas, sempre que a tocara, o azul esmaecia, às vezes se tornava um amarelo desbotado como cocô de recém-nascido... Nunca aquele vermelho vivo, que só uma carne mortal pode transmitir a outra.

Voltou para seu buraco no porão. Entrou distraído, caminhando. Passou pelo beato, que pulou da cama de cacos de tijolos e começou a gritar:

– Vampiro! Demônio!

– Não enche! – disse Clemente, e derrubou-o com um soco na testa.

Peter se juntara ao grupo nas saídas noturnas. Na carruagem nova de Anacleto, tão larga que não passava em certas ruas do centro da cidade, acomodavam-se: de um lado o comerciante e Rufina e, do outro, Clemente, Fátima e Peter.

A menina vivia num deslumbramento contínuo. Clemente e Peter a cumulavam de atenções e presentes. Chegava ao teatro de braços dados com um nobre português e um rico comerciante inglês, dois representantes da elite que agora dominava a cidade.

Clemente se sentia fazendo papel de bobo. Sabia que Fátima nunca poderia amá-lo como amava a Peter. Se ele ao menos estivesse vivo... poderia ter alguma chance. Mas ele era um filho da escuridão.

Como odiou ser vampiro! Não estar vivo nem morto! Existir nessa zona de sombra! Nesse eterno pesadelo! Cheirar a túmulo! Recusado pela vida e pela morte! Deitar embaixo da terra, e ela se recusar a decompô-lo! A alma aprisionada nessa viagem aterrorizante pelo tempo! Ele não queria mais ser vampiro!

É por isso que amar os humanos pode ser fatal para nós. Queremos estar vivos para amar. Para beijar. Para ir para a cama com a pessoa de quem a gente gosta. E não podemos. Então nada mais vale a pena. Ser quase eterno e indestrutível, voar, passar por frestas de portas, ler pensamentos, ver auras. Que se dane. Ele trocaria tudo isso por um beijo na boca!

Clemente continuou saindo com eles, seduzindo Fátima com a riqueza, o poder e o charme da aristocracia. Comprava-lhe roupas caríssimas, perfumes, contava detalhes da vida nas cortes europeias, dava-lhe joias. Nada disso impedia que Peter avançasse sobre o coração da menina, cada dia mais um pouco.

Perceber aquilo, em vez de o fazer parar, tornou Clemente ainda mais patético, aumentando os presentes e as atenções de velho babão.

Como precisasse disfarçar seu assédio à filha, presenteava também a mãe. A consequência inusitada disso é que acabou despertando a paixão de Rufina por ele.

A mulher de Anacleto, com o corpo adormecido por três décadas de catequese jesuíta, sentiu-se enlouquecer com as sensações que a presença de Clemente lhe transmitia. Depois de uma vida dedicada às rezas, descobriu que o pecado era mais forte, e que o demônio havia entrado em seu corpo!

A vida para Rufina era um combate permanente e medieval entre o bem e o mal. E o mal estava vencendo! Numa crise de escrúpulos, sem precedentes na diocese do Rio, resolveu se confessar diariamente! Todas as manhãs! Isso obrigou o padre Anselmo a passar uns tempos num dos quartos da mansão de Botafogo.

Essa era mais uma fonte de aborrecimento e despesa para Anacleto!

E não era a única.

Ele não se abria com ninguém, precisava manter as aparências, mas seus negócios começavam a ir mal.

Em pouco menos de um ano de convivência com a corte em sua cidade, concluiu que havia sido enganado. Iludido pelo brilho da nobreza!

No início a euforia havia tomado conta do comércio local. O que eles queriam, a abertura dos portos, o término do pacto colonial, a liberdade de comerciar, o fim dos monopólios e da proibição de montar indústrias... tudo isso acontecera de repente, abrindo para Anacleto oportunidades infinitas!

A abertura dos portos aumentou muito seus lucros como exportador. Passou a vender diretamente para os ingleses. Uma fila contínua e diária de carregadores escravos fluía de seus armazéns da rua Direita para os navios estrangeiros, como um rio correndo para o mar.

O varejo também fora muito bem nos primeiros meses. Antes uma cidade de escravos, de repente o consumo explodiu, com os dez mil nobres e funcionários públicos que chegavam precisando comer e beber. Uma fila contínua de mulas carregadas com produtos do "sertão" descia as montanhas que cercavam a cidade, como nascentes escorrendo para abastecer suas fontes de renda, trazendo frangos, mandioca, carne-seca, feijão, cachaça, lenha, hortaliças, porcos... enchendo sua rede de vendas, cujos estoques nunca eram suficientes.

Do negócio com escravos também não podia se queixar. Uma rede de subornos os fazia chegar a um preço mais baixo, sem concorrência com os do mercado oficial do Valongo. O lucro era grande. A elite não admitia levantar nem para pegar um copo de água na moringa. Precisavam de escravos para tudo. Compravam cinco, dez, de uma vez, apenas para os serviços domésticos; negras para cozinhar; negras para lavar roupa e pegar água nos chafarizes da cidade; negros para comprar lenha de manhã; moleques para levar recados; ladinos para os ofícios manuais, como de carpinteiro, pedreiro... para alugarem a meia-pataca por dia, já que um nobre era incapaz de bater um prego.

O começo do namoro com a corte foi, portanto, lucrativo e cheio de perspectivas.

Anacleto aos poucos, porém, deu-se conta da realidade, acumulando decisões erradas, negócios malfeitos, prejuízos enormes, despesas tão imensas quanto inúteis. Seus métodos antigos deixaram de funcionar. Favores e privilégios esperados nunca vinham.

A situação chegou a um ponto tão grave que temeu a falência. Nunca precisou pensar tanto para encontrar uma saída.

E a solução que Anacleto imaginou para pôr fim à sua crise financeira foi casar Fátima com Peter.

# Paraíso em terra

Ao chegar à Bahia, em janeiro de 1808, D. João VI assinou a Carta Régia que abria os portos brasileiros ao comércio com as nações amigas. Em 1952, o pintor Candido Portinari imaginou assim a chegada do monarca a Salvador.

Representação de uma família do Rio de Janeiro em 1819-1820, de Henry Chamberlain. A chegada da corte e a abertura ao comércio europeu influenciaram muito os hábitos dos cariocas, desde a arquitetura até o vestuário.

Vista do Largo do Paço, no Rio de Janeiro, feita por Jean-Baptiste Debret. À esquerda, o Paço Real, que abrigou D. João VI e sua família. Ali, após a morte de D. Maria I, ele foi coroado. Mais tarde, o lugar passou a ser chamado Paço Imperial, sede do Império brasileiro.

# Nas tetas do Tesouro

Para um povo que vivia à margem do poder, a instalação da corte e as primeiras providências do príncipe regente foram recebidas como redenção, salvação, e todos embarcaram, eufóricos, na nau da esperança. Custaram a perceber que ela não ia no rumo certo.

Tudo mudou, muito de repente.

Capitanias transformaram-se em províncias. O Rio de Janeiro virou corte, sede de monarquia! Só isso já fazia a cabeça de Anacleto rodar. Agora os governadores das antigas capitanias vinham ao Rio reclamar pessoalmente, ao príncipe e aos ministros, mais dinheiro para suas administrações. Anacleto não conseguia atenção para suas petições e reclamos.

Milhares de funcionários públicos portugueses chegados junto com a corte precisavam de empregos, exigiam a montagem rápida de repartições, do aparato burocrático. Era preciso dinheiro para isso.

Nobres fugidos, com uma mão na frente e a outra atrás, tinham de ser sustentados, reivindicavam a continuação de seus privilégios, pensões, empréstimos a fundo perdido, presentes, distinções honoríficas, cargos de confiança.

Militares vindos com o regente recebiam soldos mais elevados que os daqui. Começaram as desavenças entre a tropa.

Os cargos mais importantes sempre iam para os recém-chegados, provocando inveja, ciúme e revolta no funcionalismo público.

Uma multidão mamava nas tetas do Tesouro.

A corte se endividava para sustentar suas extravagâncias, fornecia mesadas, cargos, benefícios, empregos, até rações de víveres.

– E os que chegam não estão acostumados com pouco – reclamava Anacleto. – Vão-se todos ao diabo! Só no Paço comem mais de quinhentos frangos por dia!

Era ele que fornecia grande parte desses frangos, de graça, e também farinha, frutas, legumes, atendendo a um pedido do vice-rei, como uma cortesia a D. João.

A comerciantes portugueses ricos, como Anacleto, a corte viera pedir favores, alegando as dificuldades para instalar tanta gente. Ele não se negara. Ao contrário. Eram sua rainha, seu príncipe... Oferecera casa, alimento, até mesmo dinheiro emprestara sem juros nem prazo de pagamento, de boa vontade. Mas ao menos esperava obter vantagens daqueles gestos! O que havia lucrado até agora? Apenas honrarias vazias. Cumprimentos. Tapinhas no ombro.

As honras, privilégios, gratificações, benefícios e postos superiores que D. João podia outorgar eram poucos, e disputados com tanto ardor, que Anacleto logo percebeu que seriam dados de preferência aos velhos amigos do príncipe, cortesãos que o acompanharam na fuga, companheiros de exílio, arrogantes e desdenhosos do Brasil. Para os filhos da terra e reinóis, nada.

– Nada, não... – xingava Anacleto. – Olha lá que os velhacos nos deram sim: taxas e impostos! E fiscais!

A metade de todo o dinheiro que havia em Portugal, e os 80 milhões de cruzados em ouro e diamantes trazidos por D. João foram rapidamente gastos para sustentar a corte e seus parasitas. Depois, a solução foi criar impostos e taxas: pela saída dos portos, por arroba de tabaco e de algodão exportada, pela décima parte dos prédios urbanos, pela venda desses mesmos bens, pelo comércio de escravos, pela carne verde, pela pipa de vinho, pelo direito de ancoragem, pela baldeação...

E a reorganização das repartições públicas, dos correios, da polícia, tudo exigiu novos encargos: "contribuições compulsórias" à Junta do Comércio, à Mesa de Consciência e Ordens...

Em setembro, quando precisaram arrecadar capital para fundar o Banco do Brasil, vieram bater à porta de Anacleto pedindo a subscrição de alguns contos de réis, uma fortuna, com a promessa declarada de amizade eterna do príncipe, futuro rei, e outorga de um título de nobreza. Anacleto deu o dinheiro, sonhando virar barão. Não tocaram mais no assunto.

Na época, revoltou-se. Decidiu aproveitar a amizade do conde de Mirandela e o convenceu a acompanhá-lo à solenidade de beija-mão de D. João.

– Pois cobrarei pessoalmente do príncipe regente o meu prometido baronato!

O vampiro, para não perder a viagem, convidou também Rufina e Fátima. Mais uma oportunidade de impressionar a menina. Temia, no entanto, que o príncipe, conhecedor da nobreza de Portugal, desmascarasse o falso conde.

A cerimônia acontecia quase todas as noites, na Quinta da Boa Vista, lá pelas oito horas. Para chegar a São Cristóvão atravessavam-se matagais e pântanos malcheirosos, e a estrada de terra estreita ficava congestionada de seges de aluguel. Foram os quatro na luxuosa carruagem de Anacleto. Este era o único que não parecia divertido com a aventura, nervoso pela iminência de fazer uma cobrança ao próprio regente. Em compensação, as duas mulheres iam eufóricas, na perspectiva de segurar e beijar a mão de um príncipe! Fátima estava deslumbrante...

Entraram e ficaram esperando numa galeria do palácio. Já havia bastante gente. Todos vestidos de gala. Os homens de chapéu na mão. As mulheres se abanando com leques, porque fazia muito calor. Não havia onde sentar. Organizaram uma fila. Gente de todas as classes... quer dizer, os que podiam pagar pelos trajes de gala e o transporte até lá, que não saía barato. Generais, ministros, conselheiros, homens da Igreja... esses, é claro, furavam fila. Era um sinal de prestígio furar a fila. Autoridades britânicas, então, passavam na frente de todos.

De repente a porta de um grande salão se abriu. Lá estava o sujeito, gordo, bochechudo, sentado num trono, cujo espaldar ia quase até o teto. A fila começou a andar. Ao lado dele havia uma mesa pequena, onde ia colocando as petições que as pessoas lhe entregavam.

Clemente caminhou até D. João, repetindo o que os outros faziam: parou a uns quatro passos, fez uma reverência, aproximou-se, ajoelhou e beijou a mão direita que o príncipe estendeu. Estava com sede. Teve vontade de morder aquela mão gorda. Naquela hora o súdito fazia seu pedido, ou entregava uma petição. A maioria não dizia nada. Ia lá só para beijar a mão. Clemente queria ir embora rápido, de preferência sem que ninguém o anunciasse como conde de Mirandela. Mas D. João

o reteve com um gesto e começou a conversar. Depois deu uma boa gargalhada. Isso era um sinal de prestígio muito maior do que conseguir furar a fila!

Anacleto, que esperava para o beija-mão depois do vampiro, ficou impressionadíssimo. Fátima também. Clemente contou que era amigo pessoal de D. João, mas que não ficava por aí alardeando isso. Na verdade, naquela noite ele estava com as pernas inchadas por causas das varizes, e o príncipe, vendo sua dificuldade ao caminhar, comentou que também sofria de inchaço nas pernas... Ficaram trocando receitas de como minimizar aquele sofrimento, até o vampiro dizer que o remédio mais eficaz era dormir de cabeça para baixo, como os morcegos. Foi aí que o regente começou a rir, achando que ele estava brincando.

Quanto a Anacleto, nem tocou no assunto de seu baronato. Beijou a mão gorda, que lhe tirava o couro em impostos e empréstimos, com os olhos cheios d'água, emocionado com a pompa da corte. Para o povo daquela época, era o próprio Deus quem colocava os reis no trono.

E assim, ofuscado pelo brilho da Coroa, sem enxergar o futuro, Anacleto foi se afundando cada vez mais.

Uma noite, lá por meados de dezembro, quando o calor voltava a se tornar insuportável, saindo da Casa de Ópera no Largo do Paço, Clemente sentiu Anacleto melancólico, muito aflito, com o rosto vincado pelas preocupações. Leu em seus pensamentos que ele decidira ter com Rufina uma conversa séria e definitiva sobre o casamento de Fátima.

Clemente inventou uma desculpa e os deixou. Os três voltaram de carruagem para Botafogo. Ele os seguiu, como névoa. Curioso para saber do que se tratava.

17

Capítulo

# Onde se pensa que há carnes, não há nem espeto

Fátima foi para sua alcova dormir. Anacleto avisou à esposa que queria conversar, e a reteve num canto do salão, próximo ao piano e junto a uma janela lateral. Clemente, do lado de fora, sentou numa pedra, apoiou as costas na parede da casa, aguçou o foco de sua audição de vampiro e escutou tudo.

– Eu sei que tu não te dás disso – o comerciante já começou nervoso –, és uma papa-missas! Por qualquer coisa já encarrilhas o padre-nosso! Por isso te poupei de saberes a verdade sobre nossas finanças. Mas se te mostrar o livro de razão verás que a minha roda da fortuna principiou a desandar!

– O que dizes?

– Que estamos falidos, mulher!

– Como assim, falidos?

– Pensas que viver nessa patuscada em que estamos desde que cá chegou a corte não custa nada?

– Explica direito, Anacleto.

– O caldo entornou!

– O que aconteceu?

– Não foi uma coisa só... foi tudo ao mesmo tempo!

– Coloque em pratos limpos, homem! Não sou tão parva quanto pareço!

– Pois começou mesmo antes de cá chegar o príncipe e sua mãe louca! Já o vice-rei nos intimou a colaborar com dinheiro e gêneros, secos e molhados, para a recepção da corte! Sempre que isso aconteceu, do vice-rei passar o chapéu entre os comerciantes de grosso trato como eu, logo mais vinham as retribuições, uma participação num monopólio régio, uma isenção de taxas, uma vista grossa na alfândega, uma encomenda grande do governo... Era a isso que eu estava acostumado! A partir de certa vez não aconteceu mais nada. Nem um muito obrigado. E os pedidos não pararam mais, mulher!

– Estás com as faces afogueadas, homem. Assim acabas passando mal.

– Tomaram-me o sobrado da rua da Quitanda, lembras? Depois me pediram empréstimos em nome de nobres. Como eu podia recusar ajuda a um marquês? Ofereci dinheiro, comida, até escravos!

– Te alargaste demais...

– Como querias que sobrevivesse nestes tempos, mulher? Tinha de fazer amizade com os novos homens de valimento. Pensei que, sendo generoso no começo, ajudando um nobre aqui, outro ali, no futuro seria recompensado. D. João vai se tornar rei! Um rei pode tudo! Eu queria ser amigo do rei! Já como príncipe o homem está a dar pensões, a conseguir cargos públicos, a distribuir ordens honoríficas. É um tal de oferecer grã-cruzes de Cristo, ordens de São Bento e Avis, de fazer comendadores, cavaleiros... Eu tinha de estar dentro disso, entendes?

– Mas tu já não és escrivão da Irmandade do Santíssimo Sacramento da Candelária? E também não entraste na Irmandade dos Passos?

– Sou! Na da Candelária só há comerciantes como eu! Custa-me muitos mil-réis por ano e pouco proveito tiro disso. Na dos Passos tive de entrar, para ter "irmãos" nobres, até membros da família real.

– Pois...

– "Pois"... se queres saber, me custou mais de seis contos de réis para ser aceito!

– Cruzes!

– E o que ganhei com isso? Medalhinhas, ornamentos. E ainda tive de gastar uma fortuna naquele maldito

As moedas portuguesas que aqui circulavam durante o período colonial eram as mesmas da metrópole. Cunhadas em ouro, prata ou cobre, essas moedas tinham os seus valores estabelecidos em réis e às vezes possuíam denominações próprias, como Português, Cruzado, São Vicente, Tostão, Vintém. A moeda de 1 real, unidade do sistema monetário, era cunhada em cobre. Depois da descoberta do ouro na colônia, a coroa estabeleceu a Casa da Moeda, onde todas as moedas eram cunhadas. Quando a Casa da Moeda estabeleceu-se no Rio de Janeiro, em 1703, foram cunhadas moedas de ouro, nos valores de 4 mil, 2 mil e 1 mil réis, e de prata, nos valores de 640, 320, 160, 80, 40 e 20 réis. O conjunto de moedas de prata é conhecido como série das patacas, em função da denominação "pataca", atribuída ao valor de 320 réis. A criação do Banco do Brasil, em 1808, funcionou para produzir os recursos necessários à manutenção da corte: em sua volta a Lisboa, D. João deixou os cofres vazios!

Em 1810, D. João VI assinou vários tratados com a Inglaterra, entre eles o Tratado de Comércio e Navegação, que estabelecia as taxas alfandegárias a serem pagas para que seus produtos pudessem entrar no país. Para os ingleses, a taxa fixada foi de 15% sobre o valor das mercadorias; os portugueses – que interessante... – pagariam 16%, e os produtos de outras nações deveriam pagar 24%. Considerando que naquela conjuntura já não havia mais a exclusividade metropolitana, e que o comércio externo era dominado pelos ingleses, é fácil concluir que seus produtos não teriam concorrência.

paramento com cento e vinte brilhantes, sessenta rubis e trinta esmeraldas na coroa!

– Não digas "maldito", que são coisas de Deus! E a comenda, tão linda, para usares sobre a casaca, com aquelas cruzes de topázio...

– Mais de um conto de réis custou tudo isso, sabias?

– Mas são tão lindas...

– Tu és uma nefelibata! E às minhas custas! Não sabes o preço das coisas! Ajoelhas e confessas todas as manhãs, por exemplo, sem te dares conta de que, pela outorga do luxo de se ter uma capela em casa, a Igreja me cobrou muitos contos de réis, que até bula papal tive de pagar! Fora a maldita papelada do processo!

– Não fales da casa do Senhor, que ele te castiga!

– O castigo já veio, com capela e tudo! É o que te digo... fiz o que fiz esperando recompensas, e não as tive! Ó, que também sou filho de Portugal! As pensões, os empréstimos de vulto, as melhores terras, os cargos mais importantes... tudo vai para os que chegaram com o príncipe! Para os que cá já estavam, só fiscais a nos enredar num cipoal de leis dos infernos!

– Nunca te vi assim, Anacleto...

– Estive a ser enganado, e a me enganar. Empolguei-me com a abertura dos portos. Contava com o aumento das exportações, vender direto para os ingleses... Adiantei o valor das safras de algodão, café e tabaco... Assim se consegue um preço melhor, e incentiva-se a produção. Mas a cotação internacional caiu! E os ingleses acabaram me fazendo concorrência aqui mesmo! Alugaram armazéns! Conseguem as mesmas taxas que eu! E já estão a buscar tratados que darão a eles taxas alfandegárias ainda menores que as nossas! Absurdo!

– Perdeste muito?

– No governo não há controle! Só se preocupam em cobrar impostos! Aumentam tributos antigos e inventam novos! Para sustentar esses nobres que nada fazem! E as manufaturas inglesas entrando com menor preço? Sem falar no contrabando deslavado que...

– Quanto?

– O que tinha e o que não tinha! Fiz dívidas! Não entendes? Fiz dívidas!

– Não grita que acordas a menina! Tu me contas isso como se eu tivesse culpa no cartório!

– E tens!

– Eu?

– Tu! E Fátima!

– Nós? Estás louco?

– Sabes a quanto me sai o luxo desta casa? Querem acompanhar a moda da corte, não é? Quanto custa isso? Paraste para pensar? Vai na minha escrivaninha ver os assentos! Quiseste educar Fátima! Aulas de piano! Aulas para aprender a ler! Preceptoras! Meu Deus Misericordioso, que fortuna para desasnar uma menina! E todas as roupas caras! Os tecidos importados! Joias!

– Com uma rainha e um príncipe na cidade, tu querias que Fátima parecesse uma selvagem? Tu também compraste roupas caras para ti! Fivelas de ouro! Esporas de prata! Selas com filetes de ouro!

– E os gastos com a escravaria? Vestir negro com libré! O dinheiro gasto na maldita ópera! E o diabo do piano, que me inferniza os ouvidos! E a fortuna que me custou aquele baile? E a carruagem? Por que cargas-d'água comprei aquilo, se estou afundado em dívidas, e a desgraçada ainda me entala nos becos?! Terei ficado doido, feito a rainha?!

– Não quero escutar teus maus passos, teus gritos e acusações! Disseste que essa conversa era sobre Fátima!

– Isso! A menina! Quero te comunicar uma decisão! A menina se casa com o Peter!

Clemente ficou de orelha em pé! Como um morcego.

– Enlouqueceste de vez?! – Rufina gritou.

– O rapaz já anda a se entender com nossa filha. Faz-lhe a corte, e ela não se finge de rogada! Naquele domingo, no passeio público, quase pego os dois com a boca na botija, atrás da estátua do Cupido!

– O demônio está reinando entre nós!

– Não começa, mulher! Ela já tem idade de casar!

– A menina está verde!

– Está é no ponto. Se passar muito tempo, se estraga! Cala a boca e escuta! Para de rezar! Estou falido, endividado! Não tenho dinheiro para o dote dela! Quem vai querê-la sem dote? Não tenho nem para a anuidade do convento da Misericórdia, se precisarmos colocá-la interna. Cheguei a pensar em casá-la com o conde Clemente...

– Já discutimos isso!

– Tu te opuseste. Nunca te vi tão brava. Agora também já não penso nisso. O homem é coberto de ouro, mas é meio esquisitão. E é velho. Não a fará feliz. O vento da idade apaga a chama da paixão. E também estou com ódio de fidalgos! O rapaz não. É um comerciante como eu! Simpatizei com ele! Tem amigos importantes. São os ingleses que estão a dominar o Brasil agora.

– Não permitirei! Só passando por cima do meu cadáver!

– Ora, que tranco-te essa boca a socos! Assim a menina não se casa nunca, e não se lhe apaga o fogo! Pois queres saber? Eu e o Peter estamos a armar uma sociedade! Vamos abrir uma indústria! É isso que vai dar dinheiro! Uma fábrica de tecidos! Ele tem a ideia para um tear mecânico e já a patenteou! Vamos pedir um grande empréstimo. Estamos a redigir uma petição ao príncipe. Peter conhece D. Carlota Joaquina através do almirante Sidney Smith, que, dizem as más-línguas, deita-se com a princesa. E eu vou pedir empréstimo ao conde Clemente! O Banco do Brasil também emprestará!

– Fátima não se casa com o inglês! – Rufina deu um berro histérico.

– Vá-te ao diabo! Por quê? Por quê?

– Esqueceste que ele é protestante?!

– Carola dos diabos! Pois preferes que eu vá à bancarrota?! E que ela se dê a um católico desses por aí, sem ofício nem benefício, do que a um rapaz como Peter, só porque não vai à mesma igreja que nós?! Pois saibas que para sair do buraco até eu me converto ao protestantismo, que já estou mesmo farto de ajoelhar para esses santos que mais parecem fidalgos, pois não fazem nada e só querem homenagens!

Rufina começou a rezar alto.

– Ela se casa com Peter! – Anacleto gritava. – Faço isso... ou o menino Jesus não é filho da Virgem!

– O que eu fiz a Deus?!

– Casa porque casa, e o que eu tinha a te dizer era isso: já está tudo acertado!

– Valham-me os serafins!

– Já falei com Peter, e ele não quer outra coisa! Abriu até mão do dote. Fazemos sociedade e juntamos as famílias! Seremos sócios também como exportadores! Pagarei taxas menores! Ficarei do lado dos ingleses! O padrinho será o próprio Sidney Smith! A madrinha talvez seja D. Carlota!

– Um marido protestante! Um padrinho protestante! Uma madrinha adúltera!

– Uma fábrica, mulher! Uma fábrica! É o futuro! Está decidido!

– Fátima não casa!

– Casa! Já dei minha palavra!

– Não casa! Meto-a no convento de Nossa Senhora da Ajuda!

– Ó! Queres fazer de nossa filha freira? Queres para ela o destino da Ajuda, do qual te salvei?

– Entregamo-la a Jesus, o Divino Esposo!

– Prefiro um marido rico! Jesus só tem me dado despesa!

– Blasfemo! Perdoai-o, senhor!

– Freira nunca! Desperdiça-se a menina! E o que ganhamos com a penitência da coitada?!

– Ganhamos em ter uma santa na família!

– Ó! Vamos viver de esmolas! De abrir nossa casa para mendigos e lazarentos!

– Com protestante ela não casa!

– Casa! Amanhã ele nos pede a mão de Fátima! E vá chorar na cama, que é lugar quente!

Rufina saiu correndo do salão, aos prantos. Mas não teve coragem de se deitar. Uma das características do escrúpulo era o temor de morrer durante a noite, tendo ainda algum pecado na alma, e ir para o inferno.

Mandou uma escrava acordar o padre Anselmo. Precisava se confessar antes de dormir.

– Minha filha casar com um protestante... – desabafou com ele. – Isso só pode ser castigo pelos maus pensamentos que venho tendo. Deus me castiga fazendo Fátima casar com o membro de uma seita demoníaca!

Na noite anterior tivera um sonho lascivo com Clemente. Estavam os dois nus, passeando no jardim! Não era a primeira vez que sonhava estar nos braços de Clemente! Precisava contar aquele sonho para o padre Anselmo!

Clemente, aturdido, transformou-se em névoa e foi procurar o coronel Vidigal.

Foi pedir ajuda em um plano louco e descabido: entrar em outro corpo.

Capítulo 18

# A queda começa com o tropeço

Clemente estava completamente desesperado. Ciúme, inveja, despeito, ódio. Achou que ter encontrado Domingos, um mestre em ocupar corpos de mortais, era obra do destino.

Queria entrar no corpo de Peter!

A ideia era colocar sua consciência dentro do corpo do inglês, e se apresentar no dia seguinte para pedir a mão de Fátima.

Loucura! Clemente queria ter a sensação de que era Peter! Sua cabeça não estava funcionando direito. Talvez o método de dormir de perna para cima estivesse acumulando as impurezas em seu cérebro.

Foi até a rua da Misericórdia, onde morava o coronel Vidigal, corpo que Domingos agora ocupava, contou sua história e pediu ajuda. Domingos achou divertido, e, como tinha pressa, partiram para a casa de Peter, em Laranjeiras.

Nós, como os humanos, desenvolvemos características distintas com a idade. Uns conseguem se transformar em névoa e passar por frestas; outros voam; ou dão saltos imensos; ou possuem poderes telepáticos tão desenvolvidos que atingem o outro lado do planeta; ou podem sobreviver aos raios de sol; ou têm a capacidade de ver a aura dos seres humanos e dos animais; ou adquirem autoestima a ponto de voltarem a ter reflexos no espelho; ou não se abalam com símbolos católicos...

Alguns desenvolvem uma capacidade de empatia extraordinária, e são capazes de sentir e pensar como outra pessoa... como é o meu caso. Por isso tenho facilidade em escrever.

Domingos sabia ocupar corpos humanos mortais.

Clemente não tinha tempo para teorias. Domingos diria o que ele deveria fazer, mas foi logo avisando que seria muito perigoso... porque ele iria ver o dia. O sol! O céu azul! Peter era um humano. Iria acordar de dia e sair por aí! Clemente certamente ficaria tão deslumbrado que perderia a noção do perigo...

Domingos deixou o corpo de Vidigal em casa e acompanhou Clemente, como névoa, até a mansão de Peter. Era madrugada. Os dois se materializaram no quarto. Peter dormia profundamente, dentro de um mosquiteiro bem esticado. Os dois vampiros conversaram telepaticamente, para não acordá-lo.

A técnica de se apoderar de corpos consistia em dar uma pequena mordida no pescoço da vítima, enquanto ela dormia. Quando o sangue começasse a fluir para o vampiro, ele tinha de entrar dentro do sonho da vítima com sua própria consciência. Com o cérebro em repouso por causa do sono, e a vontade também adormecida, não havia como reagir à invasão.

"Como ensinam as diversas correntes esotéricas", Domingos explicou, telepaticamente, "o corpo astral separa-se do corpo físico quando a pessoa sonha. Quando o vampiro se apodera do corpo físico, entrando pelo sonho, o corpo astral da vítima não pode voltar. Ela tenta, mas é a vontade dela contra a nossa, muito mais poderosa."

"Mas e o corpo do vampiro?", quis saber Clemente.

"Fica sem alma, vazio. Eu mantenho o meu bem escondido, enquanto uso o do Vidigal."

"E quanto ao meu?", Clemente apontou para si mesmo.

"Como queres ficar dentro de Peter só um dia, eu tomo conta dele. Levo-o para a casa do Vidigal, até amanhã à noite."

"Então vamos lá."

"Eu te ajudarei a entrar nos sonhos do rapaz."

Clemente cravou os dentes na jugular de Peter. Controlou-se, para não matá-lo. Logo foi invadido por um sonho estranho, com neve, navios, mares gelados... No meio do sonho apareceu Fátima! Linda, vestida só com uma túnica de seda muito fina, quase transparente, as formas de seu corpo aparecendo. O filho da mãe estava tendo um sonho com a *sua* Fátima!

Domingos apareceu, sorrindo, carregando uma grande peneira. A peneira se abriu, como uma fresta. Fátima estava do outro lado, beijando Peter. Domingos apontou para os dois. Clemente mergulhou dentro da peneira, invadindo o sonho de Peter com raiva, ciúme... tanto ódio que abriu os olhos e viu um vampiro sobre ele! Gritou! O vampiro estava desmaiado. Jogou seu corpo para o lado e descobriu que era ele mesmo, Clemente! Gritou novamente! A voz não era a dele!

Domingos estava ao lado da cama, sentado numa cadeira, rindo. Clemente, no corpo de Peter, levantou, rápido demais, enrolou-se no mosquiteiro, tropeçou, caiu, bateu o joelho direito na quina da cama... Sentiu uma explosão dentro do corpo! Como se de cada célula, começando no joelho, partisse uma detonação em cadeia que chegou até o cérebro! Ele ia gritar ainda mais, quando Domingos tapou-lhe a boca:

– Queres acordar os escravos? Fica quieto. Isso é a dor! A dor que os humanos sentem!

A dor humana!

Mais de oitocentos anos! Como ele ia lembrar? Os vampiros sentem dor, mas nada que se compare com a dor dos humanos mortais. A sensação de que não vai passar nunca mais! Voltou para a cama. A dor agora era como uma facada no cérebro. Como os humanos podiam viver com aquilo sem enlouquecer? Domingos esperou pacientemente que a crise histérica de Clemente passasse. A dor diminuiu. Tornou-se suportável. Colocou-o de pé e levou-o até um grande espelho que havia entre duas janelas. Lá estava... Peter! Aquele inglês incrivelmente bonito! Clemente estava dentro dele! A única coisa sua ali era o brilho dos olhos! Só olhando para o fundo dos olhos de Peter ele sabia que Clemente estava lá dentro.

Escutou um galo cantar. Ficou apavorado. Domingos riu, disse que não havia problema. Ele ia ver o sol nascer!

O sol!

Domingos pegou o corpo de Clemente, colocou-o sobre o ombro e se despediu de Peter, desejando-lhe boa sorte. Iria esperá-lo na rua da Misericórdia, para desfazer a troca. Saiu rápido, antes que o sol nascesse.

Clemente ficou sozinho dentro de Peter, diante do reflexo no espelho. Atarantado. Completamente confuso. Sentiu uma revolução dentro da barriga. Alguma coisa se mexia lá dentro. Teve espasmos, e uma substância gosmenta começou a escorrer entre as suas pernas.

O intestino do inglês era pontual.

Limpou-se como pôde, tentando lembrar dos seus tempos como humano, e novamente pensando como os mortais aguentavam aquilo: todos os dias defecar, e saber que aquela coisa ficava se acumulando dentro da barriga durante todo o dia...

A saliva escorrendo para dentro da garganta, o suor azedo... Simplesmente nojento!

Além disso, ainda precisava se adaptar às dimensões daquele novo corpo... Vestiu-se com a melhor roupa que encontrou no armário, esbarrando em tudo. Aquele era um dia especial. Ia pedir a mão de Fátima.

Não pretendia estragar o noivado dos dois. Só queria ter a sensação mortal do amor de uma mulher, estar presente no momento em que ela aceita ser esposa... Seus sentimentos já haviam sido despedaçados! Ele sabia que Fátima não o amava! Nem poderia amá-lo. Ele era o "esquisitão" que dormia o dia todo, e vivia numa constante dieta! Um velho! Não, não queria estragar nada. Desejava apenas ser Peter, naquele dia.

O galo voltou a cantar, e em seguida outros, e pela janela ele viu uma barra amarelada sobre as montanhas, como uma aura. Foi para a varanda da casa. Ficou de pé, segurando o balaústre de madeira... e assistiu ao sol nascer na baía de Guanabara!

O sol! As cores! Os passarinhos!

Fico imaginando... Quem inventou a vida quis deixar claro o contraste entre a luz e a escuridão! Hoje os vampiros sabem o que é o dia, é só ver as imagens no cinema, ou na televisão. Mas, naquela época! Clemente não se deparava com a luz do sol havia oito séculos!

Uma escrava lhe deu bom-dia e disse que o café estava pronto.

Que experiência estranha! Enfiar pedaços de coisas duras dentro da boca, quebrá-las com os dentes... engolir... tudo tão seco. E as coisas quentes? O café... como podem? Aquilo doía, ardia, queimava. Mas havia escravos olhando-o, teve de disfarçar, comeu um pouco. Desculpou-se dizendo que estava sem apetite porque aquele era um grande dia. Então mordeu a língua! Que dor!

Saiu sangue da língua. Aquilo foi estranho porque, no meio da dor, ele sentiu o gosto de sangue de Peter e começou a chupar sua própria língua. Conteve-se. A primeira regra do bom hóspede é não matar seu anfitrião.

Comer afinal foi bom. A comida fez passar uma dor que ele sentia no meio da barriga. Depois lembrou que era fome. Fome era aquele vazio que as pessoas tinham de ficar enchendo com coisas duras e secas por toda a vida. Um outro escravo apareceu, de libré, anunciando que sua carruagem estava pronta.

Clemente perguntou se ainda não era muito cedo, mas o escravo lembrou que ele, Peter, havia marcado encontro com um joalheiro na rua dos Ourives, para pegar as alianças de ouro com o nome dos noivos.

Desceram então a estrada de Laranjeiras, dobraram à esquerda no Catete e entraram no centro da cidade pela rua das Marrecas. Os buracos faziam a carruagem sacudir. Clemente sentiu a dor nos ossos de Peter.

A vida dos humanos era uma dor permanente. Ele se sentia apertado dentro daquele corpo. Tinha ainda dor no joelho. Morria de medo de dar outra topada. O escravo que conduzia a carruagem era muito prestativo, e o ajudava em tudo. Deixou-o na esquina da rua da Quitanda com a do Ouvidor e foi estacionar a carruagem.

Clemente via o movimento do centro da cidade de dia, pela primeira vez. O barulho era assustador. Um grupo de meirinhos, de casacas, calções e meias pretas, discutia acaloradamente, como pinguins nervosos. Negros carregavam bandejas de doces, vassouras, redes, peixe, sabão, balaios, lenha, água, esteiras... gritando o nome de seus produtos! Uma carroça com as rodas gemendo muito alto, vindo do matadouro, arrastava pedaços de boi cobertos de moscas, deixando um rastro de sangue. Urubus do alto dos telhados acompanhavam a cena com interesse. Mulheres berravam das janelas dos sobrados. Cachorros latiam. Moleques corriam entre os transeuntes. Comerciantes, sentados em bancos na calçada, discutiam com empregados e barganhavam com clientes. Uma pequena procissão de franciscanos pedintes entoava ladainhas, seguida por um grupo de senhoras beatas cantando músicas sacras e balançando moedas em panelas de ferro. Dois negros começaram a lutar capoeira no meio da rua, na disputa por um carregamento de sacas de café para levar à alfândega.

Clemente ficou tonto. Estava andando sozinho pela calçada da rua do Ouvidor, inseguro dentro daquele corpo estranho, quando de repente a pesada porta de uma loja abriu e o acertou no rosto.

As portas na beira da calçada abriam para fora. Ela bateu-lhe na cara com toda a força! A dor foi tão lancinante que perdeu a noção de onde estava. Cambaleou, esbarrou num banco e foi parar no meio da rua... Aí uma sege em disparada o atropelou! Uma das rodas passou sobre a perna esquerda de Clemente, provocando uma fratura exposta!

De Clemente não. De Peter.

Capítulo 19

# Sangue, paixão e compulsão

Clemente estava aprisionado em um corpo vulnerável, sentindo uma agonia indescritível. A dor implodiu sua consciência. Fez xixi nos calções. Tentava sair do corpo de Peter e não conseguia. Sua alma de vampiro se debatia dentro daquele corpo estranho. A dor era como mil pregos em brasa perfurando sua pele.

Sentiu que o suspendiam, colocavam numa carroça, as pessoas gritavam em sua volta... tudo escureceu. Foi jogado num mundo estranho, gelado! Tremia e gritava dentro do corpo de Peter, sem poder sair!

Foi levado para o Hospital da Misericórdia, onde uma junta médica custou a decidir se lhe amputavam logo a perna ou esperavam para ver se gangrenava. Decidiram esperar, e a imobilizaram com gesso.

Dentro de Peter, Clemente mergulhara em um mundo de dor total, com alguns pequenos lapsos de consciência. Num desses, viu Fátima.

Linda como um anjo, os longos cabelos negros, a boca carnuda, os olhos vermelhos de choro. Ela se debruçara sobre o corpo de Peter, com o rosto muito próximo do dele, e repetia:

– Meu amor... meu amor...

Em seu delírio, Clemente achou que ela falava aquilo para ele! A dor se uniu a um prazer que nunca sentira. Ficou num estado de leveza estranho, fora do corpo... e viu, do alto, Fátima debruçada sobre Peter, e a escutou novamente:

– Meu amor... Peter... meu amor...

Então entendeu que ela não dizia aquilo para ele, e sim para o inglês, e a dor voltou a tomar conta de tudo, e uma tristeza absoluta o dominou... e viu o rosto da menina se aproximar e beijar sua boca. A boca de Peter. E por segundos sentiu, como Clemente, os lábios de Fátima sobre os seus, e entrou no Paraíso com dor e tudo... sentindo o beijo quente dela, o beijo apaixonado... Até ouvir vozes, gritos, e entender que Rufina a tirava de cima dele e arrastava para fora do quarto, xingando-a de perdida, e Anacleto saía atrás das duas, gritando:

– Deixa a menina! Eles vão se casar!

E mergulhou mais uma vez num estado inconsciente, voltando ao desespero da prisão em outro corpo, até cair num limbo formado pelos seus piores pesadelos.

Quando tornou a abrir os olhos, já não estava no quarto do hospital. Não sentia dor. Seus pensamentos como Clemente eram claros. Sentou na beira da cama. Era uma alcova estreita e úmida, com uma mesinha de cabeceira ao lado do leito, e sobre ela uma bacia com água e uma toalha.

Não havia mais perna quebrada.

Estava de volta ao seu corpo de vampiro.

Saiu do quarto. Na sala, encontrou o coronel Vidigal numa rede, de camisola e tamancos, lendo um exemplar da *Gazeta do Rio de Janeiro*.

– O que aconteceu? – perguntou a ele.

– Deste-me um trabalhão, Clemente. A sorte é que o Hospital da Misericórdia é aqui na rua. Isso facilitou a troca de corpos.

– Como conseguiu?

– Como coronel do corpo da guarda, fui visitar a vítima do acidente. Tive de esperar a noite, para tu recuperares teus poderes. Tirar-te de dentro daquele corpo foi a parte mais fácil. Tu estavas doido para sair. Entrei nos teus sonhos dentro de Peter, quando o corpo dele dormiu. Ficaste mesmo desesperado lá dentro, hein?

– A dor... não é como a nossa! Como os humanos aguentam? Como suportam o fato de que podem morrer a qualquer momento?

– E têm escolha? O complicado foi fazer a alma de Peter voltar. O corpo astral do inglês se perdeu... ou não queria um corpo de perna quebrada. Tu disseste que não ias fazer mal a ele.

– Foi um acidente.

– Eu avisei que não estarias preparado para ver o sol. É preciso prática.

– Como pode gostar de usar corpos humanos? São tão frágeis! Essa porcaria de fazer cocô e xixi nunca acaba! Nunca mais quero fazer isso! Defecar! Comer! Sentir dor do jeito que eles sentem... são hipersensíveis!

– É, tem seu lado ruim. Mas me divirto com a política, por exemplo. E há coisas que faço com Maria Regalada que são bem compensatórias. Mas tens razão de não querer repetir a experiência. Quebrar uma perna deve ter sido terrível...

– Justo no dia de pedir a mão de Fátima – Clemente sorriu.

– Não te alegres. Tu afinal não estragaste o noivado. Só vão ter de esperar até ele sair do hospital.

Tudo bem. Clemente sabia. Ela amava Peter. O vampiro estava fora do jogo.

Voltou para seu buraco no mosteiro de São Bento.

No relógio da torre viu que ainda eram nove horas da noite. Mais uma vez distraído, com o coração corroído pela tristeza, e sentindo-se ridículo pela trapalhada que fizera durante o dia, tornou a passar em frente ao beato louco. O homem começou, como sempre, a gritar:

– Vampiro! Vampiro!

Recebeu outro soco na testa e desabou inconsciente.

Aquilo não ia durar muito. Em breve Clemente partiria num navio de volta a Lisboa. Unir-se a Azevedo! Expulsar os franceses!

Deitou-se no caixão.

O dia custaria a nascer. Ficou de olhos abertos, na escuridão total, pensando... relembrando em detalhes o beijo apaixonado de Fátima. Havia sido a boca de Peter... mas a alma, a mente, a consciência, as sensações... isso ninguém podia tirar de Clemente! O Paraíso! A felicidade absoluta!

Pulou fora do caixão! Era mais forte do que ele! Precisava rever Fátima! Uma última vez!

Transformou-se em névoa. Sentia-se forte como nunca. A lembrança do beijo e a alegria de não ser humano, não sentir dor como os humanos, o revigorou completamente. Um vampiro feliz!

Deixou-se arrastar pela brisa marinha, até a enseada de Botafogo. A lua cheia prateava as montanhas do Pão de Açúcar.

Penetrou pela fresta de uma das janelas do salão de Anacleto, atravessou suavemente o corredor, passou por baixo da porta da alcova de Fátima.

Lá estava ela. Dormindo como um anjo. As mãos agarrando os cotovelos, mesmo dormindo. Seria um hábito, ou sarna? O rosto ainda inchado do choro.

A noite abafada. O quarto sem janelas. Ela usava a camisola de seda, o lençol embolado a seus pés. As pernas nuas, cruzadas, revelando as coxas grossas, as batatas da perna. As formas dos seios. Os cabelos jogados para o lado.

Clemente cravou-lhe os dentes no pescoço.

Foi mais forte do que ele!

Só um drinque. Um drinque de despedida, antes de partir. Ele merecia. Depois daquele beijo...

Ele sabia que a experiência seria sublime. E foi! Só o vampiro que já mordeu o pescoço de uma mulher por quem esteve apaixonado poderia compreender.

Não queria matá-la. Mas, agora que a perdera, que fora derrotado por um mortal, achou-se no direito de provar um pouco do sangue de Fátima. Levaria daquele amor um beijo e um gole de sangue!

Clemente espetou os dois caninos na jugular da menina, com toda a delicadeza. Ela não acordou. E logo estava anestesiada, deixando seu sangue fluir para a boca do vampiro.

Clemente entrou em seus sonhos, sonhos com flores, com praias maravilhosas de águas transparentes, cachoeiras estupendas brotando de florestas magníficas, estranhos deuses indígenas e rituais pagãos, goiabas e jacas misturadas com príncipes e rainhas...

Sangue quente, selvagem, forte e doce... néctar dos deuses... Fez muita força para conseguir parar de sugá-lo... delicioso! Tonto de prazer, inebriado, voltou a ser névoa e flutuou até o alto do Pão de Açúcar. E ficou lá em cima, olhando o Rio de Janeiro, como o demônio das visões da rainha louca, com o sangue de Fátima enchendo suas células de paixão...

"Enchendo as células de paixão... Pão de Açúcar..." Era um bom momento para acabar com aquilo, despedir-se do Rio de Janeiro... esquecer Fátima.

Mas Clemente era um vampiro. Seu negócio era sangue! Como podia resistir a um sangue maravilhoso como aquele?

Na noite seguinte lá estava ele na alcova de Fátima, tomando mais um drinque! E na outra noite. E na outra...

Pequenos goles. O que a gente faz quando quer preservar nossa fonte de prazer, sem matá-la.

Ele a amava! O sangue de Fátima entrava como uma luz dentro dele!

# Capítulo 20

# Não há água que apague esse fogo

Fátima começou a acordar mais tarde do que o normal, sempre abatida, olhos fundos, o corpo mole, nenhum apetite.

Ninguém se preocupou muito. Era natural ela estar abalada com o acidente de Peter, ocorrido justo na véspera do noivado. Nem prestaram atenção quando a menina contou seu estranho sonho recorrente: um enorme morcego voando pelo quarto, beijando-a na testa. Anacleto apenas comentou com Rufina:

– Vês como eu tinha razão. A menina precisa urgente casar! Tem doidices de rapariga. Quando começa o diabo no corpo, adeus. Já sonha com morcegões na cama.

Rufina se benzia, e ia para a capela, rezar diante do oratório da Virgem.

No hospital, o inglês, que voltara a ocupar seu corpo, também contava estranhas histórias. Repetia que não estava em seu corpo na hora do acidente, que alguém lhe tirara a alma, que esta ficara vagando sem corpo pelas matas de Laranjeiras, e tudo então era como um sonho real, e ele via as coisas de cima, como se voasse, e o homem que lhe arrancou a alma era alto, tinha cabelos longos e brancos, e pelo trajar era com certeza um grande nobre...

Os médicos e enfermeiros riam dele às escondidas, comentando que os comerciantes ingleses eram tão desconfiados que achavam que no Brasil lhes roubavam até a alma.

O alvará de 1º de abril de 1808, que revogava o de D. Maria I de 1785, ampliaria ainda mais a liberdade econômica. Além de fazer livremente o comércio com o estrangeiro, o Brasil poderia, dali por diante, dedicar-se livremente à atividade manufatureira.

Durante a Revolução Industrial, a invenção de máquinas e mecanismos como a lançadeira móvel, a produção de ferro com carvão de coque, a máquina a vapor, a fiandeira mecânica e o tear mecânico causaram uma revolução produtiva. Com a aplicação da força motriz às máquinas fabris, a mecanização se difundiu na indústria têxtil e na mineração. As fábricas passaram a produzir em série e surgiu a indústria pesada (aço e máquinas).

A perna começava a infeccionar, e aquilo já o levava à loucura do tétano. Mais um pouco e decidiriam pela amputação.

Anacleto maldizia o azar! Um sócio perneta não lhe serviria para nada. Levantar uma fábrica exigia muito trabalho.

– Já é tão difícil conseguir um empréstimo! Assim vai-se tudo com o diabo! Ninguém dará dinheiro a um saci albino!

E a oportunidade era tão boa!

Em um alvará de 1785, D. Maria I ordenara a extinção de todas as fábricas, manufaturas e teares no Brasil, alegando que eram prejudiciais às verdadeiras vocações da colônia: a lavoura, o extrativismo mineral e o desbravamento da terra.

Só recentemente, em 1º de abril de 1808 (chegaram a achar que era mentira), o alvará fora revogado. E criaram até incentivos à manufatura têxtil, obrigando as tropas reais a usar tecidos nacionais nos fardamentos, e isentando de impostos os inventores de novas máquinas.

Quem primeiro instalasse uma fábrica de tecido ganharia o mercado que se abria, inclusive para exportação. E a Real Junta de Comércio, devidamente subornada pelas últimas moedas de prata de Anacleto, agilizara o processo, aprovando a patente e dando "privilégios exclusivos por dez anos" a quatro invenções de Peter: "um engenho de fiar por duas formas; um engenho de preparar os algodões para fiar; um engenho de apisoar panos de lã; e um engenho de tecer muitas teias juntas".

Faltava ainda conseguir o "privilégio de isenção de direitos na saída para portos estrangeiros", e o empréstimo de doze mil cruzados "a serem tomados ao Erário em pagamentos mensais, divididos por quatro anos".

– Rapaz dos trinta demos! – Anacleto se desesperava. – Isso é hora de se meter embaixo de uma roda?! Sem perna não me serve nem para genro!

– Para de blasfemar, homem! – Rufina reclamava. – Agora vives nos azeites! Isso também não é sangria desatada! Deixa, que as coisas se resolvem. Melhor cara trará o dia de amanhã. Devagar com a louça...

– Devagar se cata é piolho!

Rufina acreditava que o acidente com o inglês fora obra de Deus, para impedir que sua filha casasse com um protestante, e desde então vinha torcendo pelo tétano, na esperança de que Fátima não o amasse tanto a ponto de querer um homem sem perna. Porém, como desejar tétano a alguém era pecado, surgia mais um tema para as confissões diárias com padre Anselmo.

Clemente, por seu lado, descobriu que a paixão é um vício, e vice-versa, e já não podia aguentar duas noites sem penetrar no quarto de Fátima para chupar um pouco de seu sangue. O resultado desse amor vampiresco é que a menina foi definhando assustadoramente, tornou-se de uma palidez de vela, caminhava pela casa feito sonâmbula, mostrando um olhar assustado e demente, repetindo os sonhos em que um vulto negro se debruçava sobre ela, com olhos vermelhos como os de coelho à noite.

Clemente via aquela transformação, mas não podia parar. "Só um pouquinho mais", repetia a si mesmo, e voltava, para enterrar os dentes naquele pescoço que amava, sempre nos mesmos furos, mas que começavam a criar uma borda roxa e a inchar.

Pensaram em mordida de ratazana, mas não havia como entrar um bicho assim naquela alcova sempre de porta fechada.

Ela comia muito pouco. Vivia melancólica, lívida, com os lábios brancos, os olhos opacos, as gengivas recuando estranhamente.

Chamaram um médico, que tomou muito dinheiro de Anacleto para diagnosticar um distúrbio linfático e uma anemia profunda, causada pela perda de apetite, que por sua vez fora causada pela tristeza advinda do acidente do noivo.

– Esse é um distúrbio comum em moças da idade de Fátima – ele disse. – E, para esse tipo de doença, o remédio é conhecido... Não há água que apague esse fogo, senhor Anacleto.

– Pois se há fogo, é porque se juntou lenha! Ouviste o doutor, Rufina! Ela tem de casar com o inglês, mesmo sem perna!

Fátima tinha medo de dormir. Dizia ouvir asas batendo contra as paredes da alcova, e que dois olhos vermelhos pairavam sobre ela soltando faíscas. Sofria de dores de garganta, como se tivesse engolido agulhas, e dificuldade de respirar. O corpo gelado. Vagava sonâmbula pela casa.

As feridas em seu pescoço foram atribuídas aos pernilongos, e as marcas de dedos, a si mesma, tentando coçá-las.

Clemente não conseguia parar. Fátima era sua fonte de calor, de luz. Havia visto o sol. Precisava da luz enchendo suas veias. A plenitude. O sangue de Fátima circulando em seu corpo.

Ele era o clássico homem velho sentindo-se jovem ao namorar uma mulher mais nova, sugando-lhe a energia... Precisava do sangue dela para voltar a querer existir, depois de a ter perdido. Era um vampiro murcho, gasto, e Fátima enchia sua taça vazia. O sangue dela o fazia achar o mundo esplêndido, excitante... atormentava-o como uma droga. Mas a vida de Fátima foi se tornando frágil como a chama de uma vela, e aquilo o consumia num desespero terrível... porque ia acabar matando a menina, sua fonte de vida...

Isso acabou levando Clemente a perder a razão.

Uma noite ele se assustou com um barulho no corredor e saiu da alcova às pressas, tirando os caninos da jugular de Fátima rápido demais. Na manhã seguinte acharam manchas de sangue no lençol. Rufina se apressou a verificar se a filha estava "naqueles dias". Não estava.

– Será que o orvalho afinal caiu sobre a pétala fresca? – disse padre Anselmo, num eufemismo que ninguém entendeu.

Ele teve de ir direto ao assunto:

– Será que tiraram a virgindade da menina?

Foi um deus nos acuda, até ficar esclarecido que não, que o sangue vinha das feridas do pescoço. Alguém falou em morcego.

– Meu pai contava que, nos pampas lá do sul, existem morcegos capazes de sugar todo o sangue de um cavalo em uma só noite – lembrou Rufina, e benzeu-se.

Rita, a mucama, vasculhou todos os cantos da alcova, mas nada encontrou.

– Isso tá com cara de ser arte de vampiro – comentou a velha escrava encarregada da cozinha.

O rosto de padre Anselmo se iluminou:

– Meu Deus! Será possível?

– O que foi, padre? – Anacleto se impacientava. – Que cara é essa? Ponha os podres na rua! Mas fale do jeito que se entenda!

– No mosteiro de São Bento, onde exerço meu sacerdócio, há um beato, um pouco louco... em uma penitência que já dura anos. Ele dorme sobre uma cama de cacos de tijolos, num anexo do mosteiro. De uns tempos para cá o homem vem gritando que há um vampiro dormindo lá com ele! Ninguém lhe dá atenção, porque sempre teve visões demoníacas, mas...

– O senhor está querendo me dizer que há um vampiro entrando nesta casa? – Anacleto não sabia o que pensar.

Rufina se ajoelhou diante de uma imagem de Santo Antônio pendurada na parede da alcova da filha, e começou a rezar alto.

– Fica quieta, papa-hóstias! – gritou-lhe o marido. – Não há vampiros no Brasil, padre! Temos todo tipo de coisa que não presta: mula sem cabeça, lobisomem, políticos, nobres, fiscais da alfândega e todos os demônios da África e mais os que aqui já tinham os índios... mas vampiro não!

– Certamente chegaram com a corte! – afirmou padre Anselmo, categórico.

Anacleto bateu com a palma da mão direita na testa. Sim, podia ser. Misturados com a nobreza... vampiros... era bem possível!

– E eu desconfio de alguém! – o padre quase gritou. – Sempre desconfiei! Agora faz sentido! A descrição que o beato faz coincide perfeitamente!

– O que estás a dizer, homem? Desembucha!

– Senhor Anacleto, o vampiro que o beato vê é alto, magro, tem o cabelo branco e comprido, veste-se sempre com muita elegância, traz um espadim que só os nobres podem portar, e tem uma comenda de conde no chapéu!

Rufina olhou o padre com cara de ódio:

– E daí, padre? O que é que...

– Senhor Anacleto... o vampiro é Clemente, o conde de Mirandela!

Com um salto, Rufina se postou na frente do padre, o dedo em riste:

– Como pode dizer uma coisa dessas! Como pode acusar um homem honrado como o conde? O senhor devia se envergonhar!

Todos ficaram surpresos com a reação despropositada da mulher, mas o padre não se intimidou:

– Posso acusá-lo sim! Nunca o vimos de dia! Nunca o vimos comer nem beber! Os cavalos relincham e escoiceam quando ele passa perto! Os cães latem e fogem! Vocês disseram que as galinhas pararam de botar ovos desde o verão passado! E é branco como o mármore! É um vampiro!

Rufina desmaiou. Fátima começou a gritar e espernear na cama.

Anacleto deu permissão ao padre para agir. Este mandou as escravas pendurarem réstias de alho por toda a alcova; untar com pasta de alho portas e janelas; pintar um par de olhos extras na testa de um cão preto e o amarrar à porta da alcova; e dar uma papa de gergelim com pó de garras de coruja para a menina, a fim de deixar seu sangue azedo.

Depois padre Anselmo se postou ao lado da cama, e começou o processo de exorcismo, sacudindo o corpo para a frente e para trás, balançando um enorme crucifixo de prata:

– *Sancta Maria. Ora pro nobis. Sancta Virgo Virgium. Ora pro nobis. Sancte Gabrielus. Ora pro nobis. Sancte Paule. Ora pro nobis. Omnes Sancti Apostoli e Evangeliste. Ora pro nobis. Sancte Vicente...*

E por aí afora, deixando Anacleto preocupadíssimo, pois a evocação de tantos santos, e em latim, certamente custaria uma fortuna!

Depois do exorcismo, saíram os dois, levando os escravos mais fortes, armados de facões, uma estaca de madeira e uma grande marreta, rumo ao mosteiro de São Bento!

# Capítulo 21

# Sanguessugas não podem amar

**No caminho**, Anacleto se deu conta da temeridade que iria cometer, e achou melhor comunicar suas pretensões ao seu amigo coronel Vidigal. Não podia invadir um mosteiro com um bando de negros para matar um vampiro sem a permissão de uma autoridade.

Vidigal pediu que esperassem um pouco em sua sala da rua da Misericórdia, pois precisava resolver um problema urgente. Uma hora mais tarde voltou e os acompanhou.

Impossível manter a missão em segredo. Os moleques e as lavadeiras a todo momento paravam para perguntar o que estava acontecendo, e a notícia da caça ao vampiro começou a arrastar uma multidão pela rua Direita.

Alguns negros não sabiam do que se tratava, até que um deles comparou vampiros aos *asasabonsam* africanos, o que só contribuiu para aumentar a expectativa.

Na frente da comitiva, ao lado do padre e do coronel Vidigal, Anacleto se perguntava quanto a Igreja cobraria por aquele exorcismo tão completo: encontrar o vampiro; espetar-lhe uma estaca no coração; cortar sua cabeça; encher a boca de alho e enterrá-la o mais longe possível do corpo... Se pelo enterro de uma criança indigente cobravam 640 réis, só Deus sabe onde aquilo iria parar. Sem falar nas rezas que recomendariam a sua filha para expulsar da menina o espírito do mal, e em tudo que Rufina exigiria para a purificação de sua alma, da casa, e de toda a família. Seria um nunca acabar de missas, promessas, confissões, romarias...

– A ruína... a ruína! – o comerciante lamentou-se, em voz alta.

– Sim – concordou o padre, falando de outra coisa. – Vamos diretamente para as ruínas do anexo do mosteiro. Não se preocupe. Pegaremos aquele infame Clemente!

Anacleto estranhava a súbita raiva de Anselmo contra o conde. Até havia pouco tempo o padre adulava Clemente, atrás de gordos donativos para o mosteiro.

A presença do coronel Vidigal e do padre Anselmo e o ímpeto da multidão que entrou pelos portões e atravessou a grande praça de paralelepípedos do mosteiro tornaram inútil qualquer tentativa de impedir a invasão. Apesar de pegos de surpresa, os padres residentes e os empregados aderiram à busca do vampiro, nem que fosse para acabar de uma vez por todas com a constante gritaria do beato maluco.

Com tudo isso, chegaram à entrada do anexo mais de duzentas pessoas! O coronel, o comerciante e o padre mantiveram a liderança. Vidigal levava um chicote na mão esquerda e uma pistola na direita. Quatro escravos fortes, armados com facões, iam à frente.

Surpreenderam o beato sem camisa, de ceroulas, desgrenhado como sempre, deitado em sua cama de cacos. Ele se pôs de pé e começou a clamar aos céus que as hordas do Juízo Final estavam chegando, apontando os escravos armados e gritando que eram os Quatro Cavaleiros do Apocalipse!

Vasculharam todo o andar, sem nada encontrar. Providenciaram lamparinas. Desceram ao porão. Anacleto pela primeira vez parou de pensar na despesa e começou a sentir medo. O lugar cheirava a mofo e cemitério. Havia entulho e madeiras podres por todo lado. Ratazanas enormes corriam assustadas a se enfiar nos buracos do alicerce.

– Há alguma coisa ali – apontou Vidigal. – Aquelas tábuas parecem arrumadas demais...

Um grupo de negros logo afastou a barreira de pedras e tábuas... e revelou o esconderijo do vampiro!

Lá estava o caixão, sobre um monturo de pedras; o "poleiro" para dormir de cabeça para baixo, com uma das extremidades servindo de suporte para os cabides com as roupas do conde; a pequena mesa improvisada com madeiras velhas e, sobre ela, o espadim de prata, uma vela de sebo e dois livros grossos.

– Reconhece os objetos do conde? – o padre perguntou a Anacleto, exultante.

– Sim – o comerciante teve de admitir.

– Pois façamos o que tem de ser feito, com a ajuda de Deus e da Virgem Santíssima, amém!

Acercaram-se do caixão. Padre Anselmo dava as ordens, e ele mesmo empunhou a estaca e a pesada marreta. Dois negros, a seu lado, prepararam-se, com os facões já erguidos. Vidigal ficou junto ao caixão, como a fiscalizar o serviço. Anacleto, ao lado dele, voltava a fazer as contas de quanto ia custar o serviço do padre, estranhando o empenho deste contra Clemente.

Abriram o caixão.

A tampa estava solta.

Olharam para dentro, confusos.

Houve um instante de profundo silêncio. Depois, romperam as gargalhadas.

No caixão havia um manequim de alfaiate, de pano e enchimentos. O rosto fora pintado grotescamente: os olhos eram duas bolas pretas, a boca tinha lábios vermelhos muito grossos, e dela pendiam dois caninos absurdamente longos.

O boneco estava vestido com uma casaca escarlate luxuosa, meias e camisa preta de seda; e, emoldurando a cabeça, uma peruca de fios longos e brancos.

Para completar a pândega, quando Vidigal, muito compenetrado, tirou o manequim de dentro do caixão para examiná-lo melhor, o beato louco apontou para ele, e gritou:

– Vampiro! Demônio das trevas! Vampiro! – e saiu correndo.

Tudo terminou, portanto, numa grande piada, que divertiria a cidade por algumas semanas.

Vidigal, a pedido de Anacleto, não fez nenhum registro oficial da ocorrência. Já lhe bastava o ridículo da situação, que a fofoca faria circular sem piedade, e lhe prejudicaria ainda mais o "bom nome na praça", tão necessário quando se está pleiteando empréstimos.

Para a direção do mosteiro de São Bento também não interessava nenhum registro oficial. Ficou assentado que tudo não passara de uma loucura do beato, o qual, não se sabe como, havia criado todo aquele cenário fantástico e roubado roupas finas para aterrorizar a si mesmo. Decidiram nada fazer contra ele, para não aumentar o escândalo nem abalar sua possível santidade.

Vidigal, de bom humor, sugeriu que deixassem tudo como estava e fingissem que não havia acontecido nada.

– Que o pobre-diabo continue a brincar com seu boneco de vampiro. Isso não há de fazer mal a ninguém, e distrai o louco. Quanto às coisas de valor, vou investigar de onde roubou. Deixem aí por um ou dois dias. Não toquem em nada.

Clemente teve muita sorte. Se Anacleto não passasse antes pela casa de Vidigal, com certeza o surpreenderiam dentro do caixão.

Durante aquela hora que o coronel pediu que o esperassem, com sua velocidade de vampiro, Domingos recolheu o manequim de alfaiate e a peruca numa loja vizinha, pintou-o, voou até o mosteiro, substituiu Clemente pelo boneco, colocando suas roupas nele, e o escondeu em sua casa, levando-o embrulhado em panos.

Domingos resolvera tão bem a situação que ainda mantivera o esconderijo do vampiro intato, para que ele pegasse suas coisas. Se quisesse, Clemente até podia continuar morando lá, porque dali em diante é que não acreditariam mesmo em mais nada que o beato louco dissesse.

Interpretaram tudo como uma grande coincidência. O boneco do beato era parecido com o conde de Mirandela, só isso. Acrescente-se à "coincidência" o fato de que Clemente era "esquisitão", nunca aparecia de dia, não comia... E tudo terminou bem.

Foi então que aconteceu o pior.

Queimando de raiva, remorsos, despeito, Clemente se deu conta do que havia feito a Fátima. Quis lhe conquistar a alma, mas só lhe roubou o sangue! Ela definhava, sentia angústia respiratória, insônia, seu pescoço estava ficando azul... a ponto de suspeitarem ser vítima de um vampiro! Ele a amava, e a estava matando! Seu amor vampiro a fazia secar! Ele era mesmo um parasita! Uma sanguessuga! Sanguessugas não podem amar! Vampiros destroem a quem amam!

Como ele era diferente dos mortais. Peter poderia dar prazer a Fátima. Poderia fazer um filho dentro dela. Torná-la feliz. Eles poderiam gerar uma vida juntos. A paixão de Clemente só geraria a morte. Ele precisava sumir dali. Sair do Rio de Janeiro. Daquela cidade que enfeitiçava até a um vampiro. Se amava de verdade Fátima, tinha de partir. Para que ela vivesse.

Ia voltar para Portugal! Era muito longe, não poderia ir tão distante como névoa... Mas havia navios partindo diariamente para Lisboa! Naquela mesma noite.

Mas então a loucura se instalou nele definitivamente!

Não queria partir sem falar com ela. Uma última vez... Não o haviam confundido à toa com um vampiro. Ele era o "esquisitão". Fizera um papel ridículo. Um velho babão que não podia nem com o sol dos trópicos, arrastando as pernas inchadas, permanentemente de dieta por causa de seu estômago delicado...

Antes de sumir da vida dela queria mudar sua própria imagem. Deixar claro para todos que não era um vampiro. E que o haviam ofendido. Iria deixá-los com o sentimento de culpa. Iria embora daquela terra ignorante. O conde de Mirandela era um nobre importantíssimo, riquíssimo, acima da reles humanidade! Acima das mesquinharias do mundo! Um homem superior de quem Fátima se lembraria pelo resto da vida! Queria lhe causar tamanha impressão na despedida que ela jamais permitiria, enquanto vivesse, que alguém o difamasse!

E então Clemente fez uma loucura completa.

Esperou o sol nascer e foi até Botafogo. De dia. Embaixo do sol escaldante do verão no Rio de Janeiro.

Capítulo 22

# Abraço mortal

Clemente alugou uma sege, a mais nova e bem vedada que encontrou, com um condutor razoavelmente sóbrio, e um par de mulas pretas.

O condutor, rindo, contou-lhe o ocorrido na véspera, e saber que havia virado piada só aumentou o ódio do vampiro.

Vestiu-se com suas melhores roupas, todas as peças bordadas com fios de ouro e prata; espadim preso à cintura; condecorações e medalhas de confrarias espetadas por todo lado.

Escolheu seu chapéu mais largo e pesado, e luvas pretas de seda.

Cobriu o rosto com pasta de urucum, que comprara numa loja que revendia produtos indígenas. Pensou que aquilo talvez protegesse sua pele. Com certeza lhe daria um tom menos pálido.

Partiu ao alvorecer, num grande esforço de vontade para se manter acordado. Um azul-claro ao fundo já revelava os contornos das montanhas altas que circundavam o Rio de Janeiro.

Ia com muito medo. Mas o despeito era maior. Não queria que Fátima o achasse um monstro.

Talvez ter visto o sol no corpo de Peter o tivesse deixado mais confiante, pensando que podia suportá-lo. Ia dentro daquela sege disposto a aguentar a luz do dia; afinal, tomara algumas precauções. Tinha o corpo todo coberto, usava inclusive luvas, e o grande tricórnio sobre a cabeça. A sege era bem fechada, com cortinas de veludo preto. Acreditou que poderia sair, atravessar o jardim, entrar na casa, falar com Fátima, despedir-se de todos, afetando uma indignação aristocrática... sem que o sol o atingisse diretamente.

O sol nasceu quando atravessavam o Catete.

O interior da sege permaneceu escuro. Apenas alguns pequenos raios se infiltravam pelas frestas entre as cortinas e a madeira, mas o vampiro se encolheu em um canto e manteve os olhos fechados. Três raios de sol passaram pelos furos de traça do veludo e foram como agulhadas profundas em sua perna.

Não havia uma nuvem no céu.

Em pouco tempo o calor transformou a sege fechada num forno. O urucum começou a derreter e escorrer pelo seu rosto. Temeu que suas células secas o fizessem entrar em combustão espontânea.

A sege parou diante da casa de Anacleto. O vampiro se preparou para expor seu corpo ao sol. Pela primeira vez, em mais de oitocentos anos! Por amor!

Enterrou o chapéu na cabeça, verificou se as luvas e as meias estavam bem puxadas, sem deixar nenhuma nesga de pele aparecendo. Tomou coragem e afastou as cortinas!

Seu maior temor era atravessar o jardim.

Acreditava que, dentro da casa, o perigo seria menor.

Abaixou ao máximo a ponta da frente do tricórnio, escondendo o rosto, e avançou o mais depressa que pôde entre os canteiros de flores, amaldiçoando o zigue-zague das lajotas que não o conduziam em linha reta até a varanda!

Ele só não contava com os hábitos brasileiros!

Na varanda estavam Anacleto, padre Anselmo e Vidigal. Este fora até lá numa visita de cortesia, explicar como fizera para encobrir a confusão no mosteiro.

Anacleto justamente discutia com o padre sobre o orçamento do exorcismo, afirmando que não ia pagar nada porque afinal não havia vampiro nenhum. Por isso ficou tão feliz em ver seu amigo conde ali, pela manhã, como um homem normal, desmentindo a intriga do padre, que saudou:

– Aí está nosso grande amigo, conde de Mirandela, para provar que as suspeitas do padre eram infundadas! E, padre... além de não receber um vintém, acho que o senhor ainda deve pedir desculpas!

E Anacleto correu até o jardim, para abraçar o vampiro!

Foi um movimento inesperado, brusco, que pegou Clemente desprevenido, porque vinha de cabeça baixa. O chapéu caiu. O sol atingiu-lhe o rosto em cheio!

O que se seguiu foi muito rápido!

Anacleto sentiu algo pegajoso se grudar ao seu rosto e recuou. Viu o rosto de Clemente se encher de pequenas erupções, que explodiam, expelindo um líquido avermelhado!

Viram o conde cair de joelhos, cobrindo o rosto com as duas mãos.

Entre seus dedos, uma gosma arroxeada começou a escorrer, enquanto por baixo da roupa escapava um chiado e uma fumaça de vapor, como uma frigideira quente embaixo da torneira.

Em seguida, com tal velocidade que nunca pôde explicar direito depois, o coronel Vidigal apareceu com um enorme cobertor escuro, envolveu o corpo do conde, entrou com ele na sege e partiram em disparada!

Vidigal mandou a sege parar logo depois e entrou com Clemente na mata. Cavou um buraco bem fundo, despiu e enterrou o amigo.

Vidigal voltou à casa de Anacleto naquele mesmo dia, explicando que Clemente viera perguntar pela saúde de Fátima, com quem se preocupava muito, e também pedir satisfações ao padre por tê-lo acusado de algo tão grave, mas que o sol lhe causara um grande mal à pele, queimaduras tão graves que teve de partir imediatamente para Portugal a fim de se submeter a certo tratamento que só havia na Europa.

Anacleto convidou o coronel para tomar vinho e comer umas lascas de bacalhau, e terminaram entrando pela noite, na varanda... até serem avisados, por uma escrava insone, que estranhos grunhidos partiam do bananal dos fundos.

Vidigal sacou a pistola. Anacleto deu ordens aos escravos para que se armassem.

O grupo avançou para o bananal, em silêncio, com foices, facões e espingardas.

Depois da experiência passada, ainda estavam assustados, imaginando que afinal o vampiro existia, e encontrava-se ali, entre as bananeiras! Talvez atacando a menina!

Até Domingos, no corpo do Vidigal, ficou assustado.

Os grunhidos eram estranhos, às vezes viravam gritos, logo depois gemidos.

O grupo irrompeu entre as bananeiras! Atacou de surpresa! Com lamparinas e gritos! Armas apontadas! Facões no ar!

E encontraram Rufina e padre Anselmo, nus, numa posição inconfessável.

Não era um fato raro no Brasil.

Justamente para que não acontecessem coisas assim, as leis canônicas coloniais, colocadas no papel nas *Constituições primeiras do Arcebispado da Bahia*, proibiam que as confissões fossem feitas em outro lugar que não o confessionário, dentro da igreja. Mas, no Brasil, o hábito de se confessar em qualquer lugar era difícil de reprimir, assim como a libido dos padres.

Juntar uma mulher bonita com um padre confessor jovem, fora da igreja, era um perigo. Se essa mulher ainda passava todo o tempo das confissões contando como se sentia atraída fisicamente por outro homem que não o seu marido, descrevendo sonhos eróticos, e como as ânsias lhe subiam do ventre... muitas das vezes dava naquilo...

Padre Anselmo começou explicando a Rufina que enganar o marido não era tão grave, apenas uma das maneiras de manter o matrimônio, e que ela afinal era uma pecadora nata, como toda "filha de Eva"... Mas sugeriu que trocasse Clemente por ele próprio. Sim, porque o pecado principal era trair. Com quem, não importava tanto. Trair Anacleto com um padre seria um mal menor, já que ele tinha um acesso mais próximo a Deus, e poderia lhe garantir meio caminho andado quanto ao perdão.

Rufina, no entanto, relutou. O desejo era pelo conde!

O padre passou a falar mal de Clemente para ela! Ficou com ódio dele, seu adversário!

Rufina não arredava pé. Era deitar com o conde ou nada!

Anselmo, cada vez mais excitado com as confissões, chantageou-a: ou ela deixava que ele a conhecesse biblicamente, ou contaria tudo a Anacleto.

Pelas Ordenações do Reino, maridos traídos tinham o direito de matar suas esposas, ou enclausurá-las em conventos para um castigo perpétuo, e Anselmo deixou claro que o sigilo da confissão não o impediria de denunciá-la, pois se tratava sempre de salvar-lhe a alma.

Apavorada com aquele destino trágico, Rufina cedeu uma vez, afirmando ser a primeira e única, durante uma confissão no quartinho de materiais atrás da capela.

As ordenações foram o primeiro código sistematizado de leis de Portugal, idealizado por D. João I (1357-1433), com o intuito de dar fim às confusões criadas por múltiplas leis do país. Ao longo do tempo, alguns reis modificaram o código. As ordenações filipinas, publicadas em 1643, eram fruto da reforma promovida por Filipe II (1527-1598) e deram base ao direito civil português até 1917, quando foi promulgado o Código Civil.

O café tinha chegado a Belém em 1727, época em que já possuía grande valor comercial. Pôde ser produzido no Brasil pelas propícias condições de solo e clima, principalmente no Vale do Paraíba, em São Paulo, e seu cultivo se espalhou rapidamente. A produção, consumida em parte no mercado doméstico, logo passou a atender também ao mercado externo. A área de cultivo aumentou em direção ao oeste paulista, e enriqueceu muita gente.

Fazer aquilo com um padre, em pé, sabendo que havia um altar do outro lado da parede em que apoiava as duas mãos... Aquilo lhe pareceu um pecado tão grande, que havia necessidade de novas confissões. E, como essas novas confissões sempre acabavam em mais pecados, Rufina aumentou seu "escrúpulo", por um lado, e por outro lado o perdeu totalmente.

A cena do bananal foi a gota-d'água na má fase de Anacleto. Depois dos escândalos em que se metera naqueles últimos dias, não havia a menor possibilidade de conseguir empréstimos oficiais, e muito menos particulares.

Temerosos de sua iminente ruína, os cobradores caíram sobre ele como urubus.

Tiraram-lhe todos os bens.

Rufina afinal terminou mesmo enclausurada, não na Ajuda, como freira, mas no recolhimento da Misericórdia, para onde iam as mulheres que davam um "mau passo". Nunca mais saiu de lá.

Padre Anselmo foi degredado para Angola, pelo crime de "fazer solicitações no confessionário e obter deleitação com *membrum virile na vas naturalis* de uma mulher branca e casada".

As dívidas de Anacleto com a Igreja, e o pagamento do dote pelo confinamento da esposa na Misericórdia, mais as anuidades, foram esquecidos mediante a promessa do comerciante ao próprio bispo de não exigir reparações eclesiásticas.

Mas ele perdeu todo o resto: lojas, armazéns, honrarias, a mansão de Botafogo, as amizades importantes, joias, escravos, dinheiro...

Ficou apenas com a fazenda de café, em Santa Cruz. Para lá se mudou com a amante mulata do Catumbi e encheu a casa de mulatinhos. Com o novo negócio, logo na primeira safra, no final de 1809, já teve um bom lucro. Plantou cada vez mais café, e não podia imaginar que aquilo daria tão certo.

Quanto a Fátima...

Peter melhorou, não lhe cortaram a perna, e ele resolveu deixar aquela cidade maldita, onde já lhe haviam roubado até a alma.

Fátima nem se despediu do pai. Pulou a janela com uma trouxa de roupa, caminhou pela estrada até um ponto onde o noivo a esperava com uma carruagem, foram direto para o cais, embarcaram em um navio britânico e caíram fora.

Domingos só desenterrou Clemente seis meses depois. Este, já quase recuperado da exposição ao sol, depois de saber tudo o que havia acontecido, tratou de também embarcar em um navio, despachando a si mesmo para Lisboa dentro de uma caixa cheia de terra fresca.

Nunca mais voltou ao Rio de Janeiro.

– disse Clemente, quando terminou de ler o maço de folhas que acabavam de sair da minha impressora.

– Obrigado – agradeci, envaidecido. – É a tal empatia. Eu não sei virar névoa, mas, quando se trata de me colocar no lugar do outro...

– É, mas há muita coisa sua aqui... – ele colocou sua mão branca sobre o meu original. – Não está exatamente como eu disse.

– Você nunca fica satisfeito com nada que eu faço, "pai"...

– Não seja infantil. O seu D. João, por exemplo... Você o transformou numa caricatura do rei bufão, gordo, comedor de galinhas. Bom, ele era isso mesmo, mas também outras coisas... Foi um personagem muito complexo, vivendo uma conjuntura política complicadíssima. E as críticas que você faz à aristocracia? Pinta todos os nobres como fúteis, parasitas inúteis... Isso não fui eu que disse...

Assim como os humanos mortais, e talvez todos os animais sobre a face da terra, não gosto de ser criticado. Peguei minhas folhas, coloquei-as na gaveta, e resmunguei:

– Este é o relato de um vampiro iluminista, eu, baseado nos fatos narrados por um vampiro cínico, você!

Clemente levantou, rindo, e foi admirar o Rio de Janeiro do alto, debruçado à minha janela. Moro em Santa Teresa. À sua esquerda se estendia uma imensa favela, descendo as montanhas em direção ao Catumbi. Milhares de pequenos pontos de luz, como se uma constelação tivesse caído na Terra. À direita, uma parte do centro da cidade, com os prédios altos às escuras, lápides num cemitério de gigantes. Bem ao fundo um pedaço da baía de Guanabara, uma poça de água podre.

– Vamos dar uma volta por aí. Preciso ver gente viva.

Meu pai-vampiro estava agitado. Eu o convencera a vir de Lisboa, depois de 200 anos, para contar a história de sua paixão alucinada pela menina Fátima. Desde 1808, ele nunca mais pisara no Rio de Janeiro. Eu o submetera a uma entrevista exaustiva, ininterrupta, por três noites. Meu processo para escrever um livro é assim, obsessivo... Eu preciso mergulhar na alma do outro, sugar suas emoções, como chupo o sangue das minhas vítimas. Sou um vampiro em tudo o que faço.

Eu também estava esgotado.

– Não se sente melhor? – perguntei, querendo perdoar a mim mesmo por tê-lo sujeitado a tanta pressão.

– Não. Sinto-me exatamente igual. Um pouco mais idiota, por ter relembrado em detalhes o período mais ridículo de toda a minha existência.

– Mas enfrentar seus traumas...

– Pare com isso. Eu li seu outro livro também, *A insônia do vampiro*... seu tratamento psicanalítico... Tanto drama só porque mentiu para o "filho". Frescura. Eu tenho mentiras que já duram seiscentos anos, e não perco um dia de sono por isso.

– Seu cinismo é a maneira com que protege e alimenta seu egoísmo.

– Você tem mania de achar que sabe mais da gente do que a gente mesmo. Maldita psicanálise! Vamos dar uma volta, antes que você comece a torrar a paciência traçando meu "perfil psicológico"! Preciso ver gente. Estou sufocando aqui dentro!

O Iluminismo foi um movimento intelectual surgido na segunda metade do século XVIII, o chamado "século das luzes". Era herdeiro da tradição renascentista e humanista, valorizando o Homem e a Razão. Curiosamente, foi um conjunto de ideias ligadas à ascensão da burguesia, à revolução, mas elaboradas principalmente por membros da aristocracia, que queriam criticar o Antigo Regime e o Absolutismo.

– Você não está pensando em se alimentar esta noite, está? – perguntei.

– Não. Quando digo “ver gente” é só isso mesmo. Sempre gostei de sair à noite e andar no meio dos humanos. Sentir o calor dos corpos.

– Entendo.

– Entende nada! Você é um sujeito frio.

– Somos todos frios.

– Você racionaliza tudo! Vamos logo. Nós temos todo o tempo do mundo, mas isso não quer dizer que você possa continuar desperdiçando o meu.

– Vamos. Estamos num bom lugar para isso. Santa Teresa é um bairro boêmio. Temos uns trinta bares e só uma farmácia.

Levei-o para o Largo dos Guimarães. Era uma sexta-feira, três horas da manhã, e muitas pessoas ainda enchiam os bares e circulavam pelas ruas. Caminhamos entre os trilhos do bonde, em direção ao Largo das Neves.

Clemente ia mergulhado em seus pensamentos.

– Ainda sofre de varizes? – perguntei, para irritá-lo.

– Sim. Mas agora uso meias elásticas. São ótimas.

– Nossa aparência se conserva a mesma eternamente... – continuei a provocá-lo. – Então acho que a única maneira de saber se um vampiro é muito velho é ver se sofre de varizes.

– Por isso nunca uso bermuda. Não enche.

Ele parecia deprimido.

– Vamos passar em frente a um bar que eu gosto – sugeri. – O Mineiro. Às vezes eu ocupo uma mesa lá no fundo, peço uma caneca de vinho, substituo por sangue de boi, o legítimo, e finjo que sou um humano normal.

– Gostaria de fazer isso...

Sorri, abri o casaco, mostrei-lhe um grande saco plástico cheio de sangue e o puxei para dentro do bar.

Estava lotado. Conseguimos uma mesa de canto, bem no fundo, e ficamos tomando nossas canecas de sangue. O barulho estava infernal, e ninguém prestava atenção em nós.

– A paixão faz pela alma o que o sangue faz pelo corpo – Clemente filosofou.

– Como assim?

– A paixão irriga nossa alma seca. Há duzentos anos, nesta cidade, uma mulher fez minha alma murcha de vampiro reviver. Isso nunca mais aconteceu. Tinha medo de voltar aqui.

– Obrigado.

– É verdade. Vim por sua causa. Para ser sincero, gosto desse seu projeto de escrever nossas histórias de vampiro.

– Se a gente analisa como se comportou no passado, tem chance de se comportar melhor no futuro. Isso serve para a história de um país também.

– Mas parece que por aqui ninguém liga pra isso. Pelo pouco que eu vi, vêm repetindo os mesmos erros. As favelas... A elite continua escravocrata, e achando que o Estado é uma propriedade dela.

– Amanhã voaremos por aí, Clemente. Vamos visitar os lugares pelos quais você passou. Ainda existem casarões em Botafogo. Será que a casa de Fátima...?

Ele fez uma expressão dura e eu me calei. Bebemos um gole de sangue.

– Eu amei Fátima – ele disse –, mas não suportaria vê-la envelhecendo... o tempo e os hábitos ruins estragando sua beleza perfeita, a decomposição daquele corpo sublime. Também não a queria como morta-viva, como eu, porque aí ela perderia o calor, a luz, o sol que havia dentro dela.

– Você ainda pensa nela com amor, duzentos anos depois.

– Pois é – ele sorriu. – Donde se conclui que os únicos amores eternos são os que não dão certo.

– Então, como se explica que...

– Pare. O mundo não precisa ser explicado. E nunca vai ser. Para mim basta que seja misterioso. E tolerável.

Clemente agora sorria. Como se uma nuvem tivesse passado, e sua mente voltasse à claridade. Começou a olhar em volta, com interesse.

– Sabe uma característica da história desta cidade?

– Diga – respondi.

– As almas quase sempre estiveram longe dos corpos!

– Como assim?

– Brancos que queriam estar em Portugal, negros que queriam estar na África, índios expulsos de suas terras, sonhando em voltar para elas. Isso faz a alma não estar onde o corpo está. Há duzentos anos, a corte tinha o corpo aqui, mas a alma continuava em Portugal.

– Pelo que você contou, D. Maria I era o exemplo mais delirante disso.

– Os corpos não gostam de ficar sem alma. Sim, amanhã à noite quero dar uma volta por aí, ver o que aconteceu com o Rio de Janeiro.

Brindamos. Clemente estava feliz. Quando eu convivia com meu pai-vampiro, e sentia sua vontade de "viver", ficava pensando se não deveria trocar minha filosofia iluminista pelo seu cinismo.

Uma loura linda veio para o fundo do bar, espremendo-se entre as mesas. Tinha cabelos revoltos, cheios, olhos verdes. Uma brasileira do sul. O *jeans* de cós muito baixo mostrava a cintura fina, o umbigo fundo e uma tatuagem do lado esquerdo. A camiseta branca apertava os seios, que balançavam, acompanhando os quadris quando ela gingava entre as mesas.

Clemente não tirou os olhos dela, fascinado.

Um homem todo de preto, de traços marcantes, misterioso, expressão forte, com olhos sem íris, magnéticos, longos cabelos prateados... ela também olhou para ele e sorriu, antes de entrar no banheiro.

Li os pensamentos dele. Eu era o responsável por trazê-lo de volta ao Rio de Janeiro. Iria acontecer tudo de novo?

Mas só consegui dizer:

– Comporte-se. Você tem mil anos.

# Saiba mais sobre VAMPIROS E OUTRAS CURIOSIDADES

# CATÁSTROFES SOBRENATURAIS

Logo no começo do livro, vampiros de toda a Europa são atraídos pela proximidade da invasão francesa a Portugal. Para eles, era uma maneira de banquetear-se sem levantar suspeitas, já que a guerra iminente produziria tantos cadáveres que seria difícil identificar os "sugados".

Ao longo da História, muitas catástrofes ou fenômenos naturais foram atribuídos ao sobrenatural ou à intervenção das trevas. A peste bubônica que dizimou parte da população europeia em meados do século XIV era espalhada por ratos e pelas precárias condições de higiene. Contudo, era popular a ideia de que castigo divino ou bruxaria faziam aparecer as temidas manchas na pele que popularizariam o termo "Peste Negra". Novo surto, mais brando, tomou a Europa cerca de 300 anos mais tarde. E em 1666, Londres sofreu um terrível incêndio. O "número da besta", a doença e o fogo, para os místicos, eram sinais seguros de que algo muito errado acontecia na cidade. O próprio terremoto de 1755 em Lisboa, seguido de maremoto e incêndios e considerado o pior da história da Europa, aconteceu em um 1º de novembro, Dia de Todos os Santos. Reflexões sobre o fato opuseram o clero português, que o anunciava como punição divina, aos filósofos iluministas Rousseau e Voltaire – este passou a atacar ferozmente a religião organizada.

**Coisa do capeta?**: os londrinos culparam o diabo pelo incêndio de 1666.

A influência maligna nos assuntos da humanidade é ainda cantada pelos Rolling Stones na música "Sympathy for the Devil". Enumerando fatos históricos, o "narrador" revela sua participação na condenação de Jesus Cristo por Pôncio Pilatos, no assassinato da família real russa, em 1917, e no dos políticos Kennedy, nos Estados Unidos, para enfim pedir: "me chame de Lúcifer". Raul Seixas e Paulo Coelho tiveram inspiração semelhante na música "Eu nasci há 10 mil anos atrás".

# AMORES TRANSFORMADORES

Quando se apaixona por Fátima, Clemente se sente revivido. O amor possui, em muitas histórias e lendas, um poder regenerador. O mito egípcio de Ísis e Osíris trata dessa ideia. Irmãos e esposos, eles são separados pela inveja de Set, que assassina e desmembra Osíris. Ísis percorre todo o país e reúne os pedaços. Transformada em pássaro, bate as asas sobre o corpo de seu amado, que ressuscita por tempo suficiente para gerar com ela o deus Hórus, de cabeça de falcão. Osíris passa a governar os mortos e o ciclo de secas e cheias do Nilo, tesouro do Egito, e é associado aos rituais de mumificação.

**Coração despedaçado**: Ísis precisou percorrer todo o Egito para juntar os pedaços de seu amado (aqui ainda inteiro).

O deus hindu Shiva representa a estagnação quando fecha seu coração. Após perder a primeira esposa, ele se retira em meditação ao Himalaia. Sem sua proteção, pois ele era um grande guerreiro, os deuses são expulsos do plano celestial por uma horda de poderosos demônios. Parvati, um dos aspectos femininos da deusa-mãe Shakti, aproxima-se dele para restaurar a ordem dos mundos. Apenas após muitas provações ela conquista o respeito de Shiva, que a ensina a prática do ioga e a toma por esposa. Inspirado pela beleza e doçura de Parvati, Shiva cria as artes, a dança e o teatro.

A jovem Corê, filha da deusa grega da Agricultura, Deméter (Ceres, para os romanos), desperta os sentimentos do deus da Escuridão, Hades. Ele a rapta e a leva para seus subterrâneos. Enlouquecida pela perda, sua mãe se recusa a fazer a terra florescer, condenando-a ao inverno enquanto a filha não for devolvida. Entretanto, Corê havia provado a comida do Mundo dos Mortos. Para trazer a primavera de volta, Hades concorda em ceder sua rainha, agora também chamada Perséfone, por alguns meses a cada ano, quando ela ajuda a mãe na tarefa de fertilizar a terra.

# ORIGENS DO VAMPIRISMO

Ao se expor ao sol para tentar provar a Fátima que é apenas um nobre excêntrico, e não um demônio, Clemente quase derrete. Mas, na China, uma das explicações para que um morto se transformasse em um vampiro era o acúmulo de energia em um cadáver que tivesse sido exposto à luz do dia.

Oposições e paradoxos assim são comuns nos episódios míticos. Isso porque eles geralmente nascem de um embate de culturas, com a vencedora acabando por assimilar traços da vencida. (Aproximação esta, aliás, bastante interessante com o vampirismo.) Acredita-se que as lendas de vampiros tenham surgido há milhares de anos, quando a cultura matriarcal, agrícola e associada aos ciclos da Lua e da natureza deu lugar a uma estrutura social masculina e patriarcal. Os chifres que remetiam à Lua Nova, o sangramento da menstruação, símbolos de deuses e deusas arcaicos, foram associados à malignidade; e sacrifícios, inclusive humanos, que eram relativamente comuns, passaram a ser malvistos.

O livro do Deuteronômio, no Antigo Testamento Bíblico, recomenda que se derrame todo o sangue da carne antes de comê-la, pois ele é a vida, e alerta que não se pode, portanto, comer carne com vida. Quando padre Anselmo começa a caçada ao conde de Mirandela, um escravo logo fala do *asasabonsam*. Essa criatura do oeste africano tinha dentes de ferro e longas pernas que terminavam em ganchos, com os quais se enroscava nas vítimas que passavam sob as árvores onde morava.

A *churel* indiana era uma mulher que morria dando à luz ou durante a menstruação. Seus pés eram virados para trás, similar à nossa caipora, e ela tinha uma longa língua negra (igual à da deusa guerreira Kali). Como Clemente, ela tampouco resistia ao magnetismo dos vivos. E voltava para buscar o sangue – e a vida – daqueles a quem tinha amado.

Musée de Antiquites Nationales/The Bridgeman Art Library

**Chifre celestial**: essa escultura pré-histórica, conhecida como Vênus de Laussel, mostra uma mulher carregando um chifre de bisão que representa a Lua.

# OUTRAS FORÇAS OCULTAS

Em *Um vampiro apaixonado na corte de D. João*, o vampiro-escritor nos apresenta a mais elementos do mundo das trevas. Nas disputas de poder que precedem a transferência da corte para o Brasil, lobisomens aliam-se aos chupadores de sangue; uma tentativa de aliança de paz com as bruxas é arquitetada; comenta-se que Du Fleur praticava necromancia; e Clemente é emboscado em um pentagrama formado por vinte vampiros.

A estrela de cinco pontas ou pentáculo é um símbolo antigo, de significado místico em muitas religiões e filosofias, notadamente a cabala, a *wicca* e até o cristianismo. Diz-se que retrata a trajetória de Vênus pelo céu. Foi emblema da cidade de Jerusalém e antigos cristãos a relacionavam às chagas de Cristo, ao passo que cultos pagãos a entendiam como os quatro elementos mais a luz ou espírito que os comanda. Correntes satanistas adotam o pentagrama invertido, simbolizando o demônio Baphomet e a negação da Santíssima Trindade.

Já a necromancia se refere à adivinhação através de carcaças, mas também a uma forma de magia que pretende manipular a energia da morte, tanto para canalizá-la contra os vivos quanto para animar e comandar os mortos, tornando-os zumbis. Opõe-se, portanto, à bruxaria ou magia tradicional, que trabalha com os elementos e a natureza. É uma técnica perigosa e avançada, pois demanda grande concentração, ao mesmo tempo que passa por cima do tabu universal de profanar cadáveres.

Sábios e místicos judaicos acreditavam ser possível criar um servo sobrenatural a partir de puro barro, diferentemente dos necromantes. Apesar de mudo e imperfeito, este criado, o golem, podia ser trazido à vida com encantamentos especiais.

Bildarchiv Pisarek/Akg-Images

**Reputação na lama**: o golem era um ser incrivelmente forte e, muitas vezes, violento.

# NESTA COLEÇÃO, FICÇÃO E REALIDADE SUGAM O SAN..., QUER DIZER, A ATENÇÃO DO LEITOR

MEMÓRIAS de SANGUE

Alguma culpa rouba o sono do vampiro-narrador desse livro, que, sem conseguir dormir, procura a ajuda de uma psicanalista. Durante a análise, o paciente relembra passagens importantes de sua "morte-vida", que envolvem um amigo também "sanguessuga", mas profundamente religioso, e o horrendo caso de um bebê transformado em vampiro. Enquanto fala de si, ele conta fatos decisivos para a História de Portugal, como a Grande Peste, o Terremoto de Lisboa e o surgimento do Iluminismo. Lembranças remotas que revelam quem ele é e, de forma indireta, de onde nós – povo brasileiro – viemos.